RHWNG DAU OLAU

Rhwng Dau Olau

Ifor ap Glyn

Argraffiad cyntaf: 2021
ⓗ testun a lluniau: Ifor ap Glyn

Rhif Llyfr Safonol Rhyngwladol:
978-1-84527-789-5

CYNGOR LLYFRAU CYMRU

Cyhoeddwyd gyda chymorth Cyngor Llyfrau Cymru

Dylunio'r clawr: Eleri Owen

Cyhoeddwyd gan Wasg Carreg Gwalch,
12 Iard yr Orsaf, Llanrwst, Dyffryn Conwy, Cymru LL26 0EH.
Ffôn: 01492 642031
e-bost: llyfrau@carreg-gwalch.cymru
lle ar y we: www.carreg-gwalch.cymru

Argraffwyd a chyhoeddwyd yng Nghymru

i Bethan

Rhagarweiniad

Mae wastad yn her gosod cerddi mewn casgliad. Dydyn nhw ddim wedi cael eu cyfansoddi gyda hynny mewn golwg; ebychiadau unigol ydynt, (dydyn ddim yn gwybod sut mae siarad â'i gilydd bron!) – ond oddi mewn i gloriau llyfr, maen nhw'n gorfod codi rhyw fath o sgwrs. Felly sut mae arwain hynny? Sut mae penderfynu pa gerddi ddylai eistedd nesaf at ei gilydd?

Un ateb ydi glynu at drefn eu cyfansoddi neu'u trefnu fesul pwnc – ond mae hynny'n gallu bod yn llethol. Dwi wedi trio osgoi hynny, tra'n sicrhau fod gan bob cerdd un peth o leiaf i'w ddweud wrth yr un a aeth o'i blaen. Ond bernais y byddai'n ddoeth gosod rhai cerddi mewn adrannau ar wahân – y rhai sy'n ymwneud â phrofiadau tramor, er enghraifft.

Er mai print piau hi rhwng cloriau'r gyfrol hon, mae nifer o'r cerddi yma wedi cael eu cyflwyno ar ffurf fideo hefyd. I hwyluso'r gwaith chwilio i'r neb sydd am wneud hynny, cewch restr o ddolenni perthnasol yng nghefn y llyfr.

Ifor ap Glyn
Chwefror 2021

Lluniau

t.19 a t.21,Wiktor Szymanowicz; t.22, Senedd Cymru; t.39, Dorsa Amir; t.42, Lowri Ifor; t.46, Cyffwrdd Celf Cyf.; t.47, Syria Art / Khaled Youssef; t.49, Syria Art / Nazir Ali Badr; t.52, Cymdeithas Cymry Llundain; t.74, Dai Bach /Welldigger; t.78 a t.87, Wikimedia Commons; t.81, Welshphotoguy @gmail.com; t.90, Stadtbibliothek Hannover; t.92, Ger Cuppens; t.107, Dylan Huws; t.116, Faye Tan / Cwmni Dawns Cenedlaethol Cymru; t.123, Efa Lois/Llenyddiaeth Cymru; t.124, Cultúrlann McAdam Ó Fiaich; t.131 a t.132, Parc Cenedlaethol Bannau Brycheiniog.

Pob llun arall gan yr awdur.

Diolchiadau

Yn 2016 gofynnodd Llenyddiaeth Cymru imi ymgymryd â rôl Bardd Cenedlaethol Cymru. Dwi'n ddiolchgar iawn iddynt am y cyfleon sydd wedi dod yn sgîl hynny ac am bob cefnogaeth gan eu staff i gyd, ond yn enwedig gan Lleucu Siencyn a Mared Roberts. Mae nifer o gerddi'r gyfrol hon wedi dechrau hefo galwad ffôn neu ebost ganddynt!

Mae yma nifer o gerddi hefyd a ymddangosodd gyntaf ar y Talwrn – diolch i Ceri Wyn, a'r BBC am bob ysgogiad. Mae'r gyfres yn ysgol farddol, sioe symudol ac yn flodeugerdd barhaus, a diolch i'm cyd-aelodau yn nhîm Caernarfon am rannu'r profiadau hynny: – Emlyn Gomer, Geraint Løvgreen, ac Ifan Prys, heb anghofio Llion Jones.

Mae yma ffrwyth cydweithio hefo sawl bardd arall: Ghazal Mosadeq, Ciara ní É, Pàdraig MacAoidh, Owen Sheers – a'r ddawnswraig Faye Tan. Mae 'na gyfieithiadau hefyd o waith Bashar Farahat, Jidi Majia, Gerrit Engelke, Albert-Paul Granier, August van Cauwelaert a Du Fu; diolch iddynt i gyd.

Diolch hefyd i:

    – John Roberts, Radio Cymru – ysgrifennwyd rhai o gerddi Tjeina a Lithwania ar gyfer y gyfres fer, Bardd ar Daith yn 2019.

    – Ian Rowlands a Jason Lye-Phillips am y cydweithio a fu yn ystod y Gadair Wag, ac ar sawl prosiect cyn, ac ar ôl hynny – yn enwedig Bàrd File Bardd, hefo Pól Mag Uidhir a Bronagh Fusco.

    – Meirion Jones am ei gyngor i'r Bardd Cenedlaethol newydd yn 2016: – 'o leia bydd ddadleuol'!– ac i'm rhagflaenydd, Gillian Clarke: – 'never turn anything down!'

    – i Wales Arts International, Cyfnewidfa Lên Cymru, Golwg, Poetry Wales, Senedd Cymru, lyrikline, Marta Listewnik, Dani Schlick, Christophe Declerq, Sian Shakespear, Jodie Bond, Canolfan Cymry Llundain, Elen ap Robert, Nici Beech, Angharad Griffiths, Cwmni Da, Huw Orwig, criw Bragdy'r Beirdd, a'r 2 Mola arall!

    – ac yn olaf, diolch i Myrddin a chriw Gwasg Carreg Gwalch am eu gofal arferol.

Cynnwys

Cymru 20/20   13
Cronni   14
Tarth   16
Panad   17
Pellter   18
Gwyn fy Myd?   19
Egni Cymwynas   23
Sgyrsiau ffôn   25
Yr Awen Fusnes   26

Tjeina
Lôn Sidan y Syniadau   29
Blwyddyn y ci, Beijing   31
Y Lôn sy'n parhau #80   33
Y Lôn sy'n parhau #83   33
Gwynt ein Cynefin   33
Golygfa'r Gwanwyn   34
Digon   35

Llio   36
Dewi Llwyd   37
Gwrthryfelwr   37
Bugail Newydd   38
Nadolig   39
Dydd Sul   40
Gwên   43
Parsel   44
Olrhain   45

Syria
Cyffwrdd Syria   47

Gorchmynion ola' fy Mam 48
Gwenu 50
Weldio 51

Dawns 100 52
Cariad at wrych 54
Drws nesa 55

E.G.H.
Bedydd 56
Tad a thad-cu 56

Llwch
   mynd am y 'nachlog 58
   'o'm dolur ymdawelaf' 58
   ysgol y Bont 59
   Pen Banne 59
   ward Aldenham 60
   siafio arwr 60
   ti'n swnio 'run ffunud 61
   canfod alaw 62
   'mi dafla 'maich' 62
   Stocker's Lock 63
   Bishop's Wood 64

Ailddychmygu 66
Tŷ Geraint 67
Sain Ffagan ni 68
Engan Dyb 69
Emyr Humphreys 71

Gerallt   72
Cofiwch Epynt   73
Cartre   75
C'mon Cymru   76
Y Cynulliad yn 20 oed   77
Tân Glyndŵr   79
Croeso i'r CELYN   80

Lithwania
Gŵyl Farddoniaeth   83
Ffynnon Druskininkai   83
Hydref   84

Cymuno   86
Wedi'r dilyw   88
Cyfandir o Gofio   90

Yr Almaen
Berlins Geistermauer   100
Cyd-ddiarhebu *auf Deutsch*   102

Hiraeth am Eos   105
Hadodd syniadau   106
Begw   107
Gerald a'r Ysgwrn   108
Ffolineb   110
Grisiau   111
Caffi   113
Rhestr   114
Pryd   115
Ust   117
Lleisio   118

Gwyliau Azeri

gŵyl y cuddliw   119

gŵyl y cariadon   120

gŵyl dyfodol y genedl   120

gŵyl y geiriau benthyg   121

Ffydd (Canolfan Tŷ Newydd yn 30)   122

Bàrd-File-Bardd

Trioedd   125

Wythnos ar ôl Reachlainn   127

Anifail arall yn llwyr   128

Graen   129

Troad y Rhod   130

Cerrig y Bannau

Ynysfelin   132

Gwaddol   132

Hyn a ddymunaf i ti   133

Bwlch   133

Copa'r Wyddfa   134

Rhestr Cerddi Fideo   136

Cymru 20/20

(Gŵyl Ddewi 2020)

Gwelwn yn gliriach o hyn allan;
a'n hen gynefin o borfa a chwysi
wedi'i ail-greu â mandrel
a chŷn mân-hollti.

Mae ein strydoedd wedi'u haredig
drwy bob cwm; a'n pobol
mor hael eu dychymyg â chynt,
wrth gloddio heddiw â 'llygoden' a 'sgrîn'
er mwyn medi'r llanw
a dofi'r gwynt...

Gwelwn yn gliriach bellach,
gan nad yw ein cannwyll dan lestr mwy,
a drws agored ein tŷ'n goleuo'r stryd.
Trwy hwn yr awn allan
i hwsmona'r dyfodol
ac i rannu'r gwirionedd â'r byd.
A gwnawn y pethau bychain,
dros ein tir, a'n hiaith, a'n pobol;
er mwyn ceisio'u lles bob tro,
er mwyn bod yn hynafiaid cyfrifol.

Comisiynwyd gan Lywodraeth Cymru i ddathlu pum mlwyddiant y ddeddf arloesol ynglŷn â Llesiant Cenedlaethau'r Dyfodol – un o uchafbwyntiau Llywodraeth Cymru ers ei sefydlu.

Cronni

World Car- Free Day 22.9.20

(*Ym Mehefin 1944, mi wnaeth yr SS lofruddio 642 o drigolion Oradour-sur-Glane, a rhoi'r pentref ar dân. Ar ôl y rhyfel, penderfynodd llywodraeth Ffrainc y dylid cadw'r adfeilion fel cofeb i'r rhai a gollwyd.*)

Gwelais y dyfodol yn Oradour-sur-Glane;
yr hen geir rhwng adfeilion rhyfel,
yn cysgu ar ddwy echel;
yn rhydu yno'n dawel...

A gwelais y dydd
y daw'r olew i ben, y pympiau'n hesb;
y cyfan yn mynd i din y cwd
a cheir heddiw hefyd
yn dystion mud,
yn gregyn o rwd.

'Ond pa ots?' meddet ti,
'nid oes poced mewn amdo
na chadw-mi-gei mewn arch;
– pa ddiben euogrwydd, fel cwmwl egsôst?'

Am fod hwnnw'n cronni, gyfaill,
a thair cenhedlaeth o ddiogi
wedi mynd i fêr ein hiaith;
aeth 'picio drws nesa'
yn bicio i ben draw'r sir, picio dramor yn wir,
a braint yn troi'n 'anghenrhaid',
dyhead yn troi'n 'hawl'...

Mae'n cronni, gyfaill,
mae'n crawni, gyfaill,
a gwerthwn y caeau gorau i gyd
am noson neu ddwy yn y ffair;
ac nid rhyw sgwennu teiars
mewn parcyng gwag mo hyn,
a'r cylchoedd yn golchi gyda'r glaw;
mae'n cronni, gyfaill
– rhewlifoedd yn dadmer,
a'r tywydd yn mynd o'i go'

...ond mae un o'r allweddi
yn gledr dy law...

Gwelais y dyfodol yn Oradour-sur-Glane,
lle bu rhyfel brwnt ddoe
yn hel merched a phlant i'r eglwys,
a'r dynion i'r sguboriau
cyn eu cloi, a rhoi'r cyfan ar dân,
a'r ceir yn greiriau
o'r bywydau ddaeth i ben...

Heno,
wynebwn ddifodiant ein plant,
ac mae'r fatsien
yn ein dwylo ni...

Tarth

'Canys beth ydyw eich einioes chwi?'

Y bore wedyn, roedd swrealaeth o gymylau
wedi'u parcio ar hyd y dolydd
yn fud ac yn wyn...

Ar ôl y gorffen, y noson gynt,
beiciais o'na, yn lle beichio crio,
a'm dyrnau ar y cyrn
yn rhubanu mynd drwy grai nodwydd y nos.

Roedd erwain yn bochio allan i'r llwybr
a'r coed yn cwblhau'r *claustrophobia*;
a'm lamp yn gwan-drywanu'r düwch
a lithrai heibio, cyn cael ei oleuo...

A thrannoeth, daeth lleithder i'r llygaid eto
wrth straenio gweld mewn gwyn yn lle du,
a'r coed fel ysbrydion, yn nofio'n ddi-angor.

Ond roedd y byd gwyn yn gwahodd,
â'i addewid, o leia, o haul ar y ddôl,
wrth agor o'm blaen a chau ar fy ôl...

Panad

Mesurais einioes mewn paneidiau;

bu'n *styrofoam* ar faes eisteddfod
ac anghydfod beirniadol y glaw
yn codi dafnau o brotest brown;

bu'n gysur o thermos mynydd
pan oedd gwynt y gaea'n gwisgo
pob blewyn a'i luman o rew.

A chefais 'banad' (mewn dyfynodau)
a oerai heb ei orffen,
yng ngwres yr helfa *bedsit*.

Wynebais stormydd bywyd
a hwn yn falast yn fy llaw...

Dysgais fod panad yn offrwm traws-Offa,
brawdgarwch heb is-deitlau...

Dyma fydwraig dyner yr awen
wrth chwysu cerddi'r nos...

A gwn, os bydd panad wrth erchwyn gwely fory,
fod gwên i heddiw arall, a chariad yn parhau.

Pellter

(Ebrill 2020)

Paid mynd o flaen covid;
er bod gorwel dy fyd yn gam,
y feirws pell yn agos
a'th deulu agos mor bell;

ac er mor greulon yw Ebrill
a'i flagur heb eu gohirio,
cân ei adar yn hoelion yn dy ben,
a'r Pasg gwag wedi'u clensio,

paid mynd o flaen covid.

Cana yn hytrach o'th ffenest,
cura dy ddwylo ar garreg dy ddrws,
dysga ddaearyddiaeth newydd ein gobaith;
gall ein cylchoedd meddwl ymledu
wrth dderbyn cloffrwymo ein cyrff.

A gwn y cawn eto ysgwyd llaw,
cofleidio'n wyllt wrth ddathlu gôl;
daw'r blas ar gymdeithasu'n ôl,
ond da ti... paid mynd o flaen covid.

Gwyn fy myd?

Diwrnod Windrush, 22.6.20

(*i Paulette Wilson, Anthony Bryan ...ac Amelia Gentleman*)

Gwyn fy myd, wrth osgoi'r aflwydd,
yn gaeth ac eto ddim,
wrth droedio deng mil o gamau
ar gyrion fy nhre.

A cherddaf yr hen lwybrau â llygaid newydd,
nes ailafael yn iaith tymhorau
a medru cyweirio rhwng sgwrs ara' ara'
y mynydd pell,
a pharabl sydyn y cloddiau.

Gwyn fy myd,
a dim ond *drumkit* adennydd colomen
i darfu ar fy heddwch. Dyna 'mraint...
ond gall newid ar amrantiad.

Achos nid fa'ma ces i 'ngeni na 'magu
(er mai fa'ma dwi'n byw
hefo 'mhlant 'honedig');

'sgin i'm prawf 'mod i'n Gymro;
mai fa'ma dwi 'di gweithio
bob un o'r deugain mlynedd dwytha.

Ond... 'sneb yn fy herio
â iaith front fel'na...
Felly, gwyn fy myd.
A diolchaf...

...na cha'i mo nadu
rhag cael 'y nhrin mewn ysbyty,
er bod 'yn stamp wedi'i dalu
ers cyn geni'r sawl
sy'n gwarafun imi'r hawl.

Diolchaf
na cha'i mo 'niswyddo,
na 'nhroi allan o 'nhŷ;
na cha'i mo'n alltudio
i ddinas sydd ddim yn fy nghofio;
na cha'i mo 'ngharcharu
ar gyrion maes awyr,

gan rai sy'n gwneud celwydd o 'myd.

Ond...
    ond...

gwyn ein byd
pan na allwn gerdded o'r tu arall heibio;
pan fo'r rhod yn troi, yng nghalon pob tre,
a rhodiwn hen lwybrau â llygaid newydd,
cyd-droedio drwy'r trwch,
drwy fwd y gaea,

nes cerdded hafau newydd i'n hiaith,
nes ailgodi yn amgenach,
nes byw mewn lliw,
    nid gweld mewn du a gwyn.

Egni Cymwynas

(*i gyd-fynd ag Oriel 'Arwyr Cymunedol
mewn cyfnod COVID' yn y Senedd,
Tachwedd – Rhagfyr 2020*)

Mae stadiwm ein gwlad yn dywyll
ond yn bair o bosibliadau...
(er nad oes band am chwarae)

Ymhlith y rhesi gwag, mae adlais torf
yn chwyddo'n gytgan;
a gwreichion hen haelioni
yn ffaglu'n fil o fflamau mân.

Peth felly yw egni cymwynas –
y trydan cudd, ymhob cwr o'n gwlad,

sy'n nôl ffisig,
neu'n gwneud negcs;

sy'n rhannu sgwrs
fel rhosyn annisgwyl;

sy'n gylch,
pan freichiwn ein gilydd
o bell...

Ac wrth i ni anturio
drwy diroedd newydd ein hen gynefin,
yr ailfapio yw ein her;

ond er chwithdod
cofleidiau rhithiol,
a diflastod
pob clo dros dro,

mae gwefr mewn cymwynas o hyd:
– fel cyffwrdd yr haul â blaen bys! –
a llewyrchwn fel gwlad yn ei sgîl...

Sgyrsiau ffôn

(wrth ailagor cyfnewidfa ffôn Bangor,
Ionawr 2021)

Rhwydd iawn deialu rhyddhad
o'n hiraeth, drwy gydsiarad,
rhannu hwyl, rhannu eiliad...

Onid gwych yw clywed gwên
y lles clws sydd mewn llais clên,
fel gwefr yng ngofal gwifren?

A ffonio ein gorffennol
a ddaw â'r hen alaw 'nôl
i swyno ein presennol...

Yr Awen Fusnes

(cerdd i leisiau)

(Dywedodd yr economegydd John Maynard Keynes yn 1946 ei fod wedi manteisio ar 'the calm of war to reflect on the turmoil of peace'. Yn ystod cyfnod Covid mae'r niferoedd sy'n cysylltu â Menter a Busnes i drafod sefydlu busnesau newydd wedi cynyddu.)

Canmolwn yn awr yr awen fusnes,
y llais sydd heb eto fagu eco,
y gân fawr sy'n dal ym mrest aderyn bach.

A defnyddiwn ddyddiau'r dwymyn
i fyfyrio'r ailgychwyn,
i fapio'r posibliadau,
mynychu gweminarau,
cael ein mentora,
rhag i'r busnes newydd fynd yn rhacabobus,
rhag i'r hwch ddod ar gyfyl y siop.

Canys gweddw pob dechrau
heb gymorth yn gefn...

ond 'ceisiwch, a chwi a gewch',
a dyna'n wir a gawn,
o ben arall y ffôn
neu hyd bys bant, ar y we;
dyma'r allwedd i lwyddo'n lleol.

Ac wrth hogi sgiliau
a meithrin cysylltiadau
cawn gywain profiadau newydd
i'r hen sguboriau;
mae'r awen fusnes fel arwain cân newydd
gydag eco soniarus yn dilyn ein llais.

Cerddi Tjeina

(Yn 2018 bûm hefo Llywodraeth Cymru ar ymweliad Diwylliant a Masnach â Shanghai, Beijing a Nanning. Yn sgil hyn cefais wahoddiadau i ymweld â gwyliau barddoniaeth yn Chengdu ac yn Liangshan.)

Lôn Sidan y Syniadau

Tu hwnt i orwel f'anwybodaeth i
roedd eangderau Tjeina hyd yn oed,
yn gallu cilio'n ddim. Ni wyddwn i
fod lôn yn ddolen rhyngom ni erioed,
a gleuod camel gynt yn tanio'r nos
dan nefoedd estron, drwy'r anialwch maith.
Cymerai drichan gwawr i ddatrys pôs
ei phellter – cyn trysorau pen y daith.
Ond heddiw, gallwn rannu'r gwobrau'n gynt
– lôn sidan o syniadau sydd yn gweu,
(heb chwys na swigod traed i flino'u hynt)
rhwng bach a mawr, yn gadwyn gyd-ddyheu.
Anfona'i 'ngeiriau heno'n garafân
a gwn daw sidan nôl i mi'n y man.

Blwyddyn y ci, Beijing

Pan fo'r hen flwyddyn yn plicio
a phapur y porth yn pylu, daw awel i gosi'i ymylon
a bydd cŵn yn coethi o bell,
wrth ffroeni'r gwanwyn...

Gwawria diwrnod ysgubo'r *hutong*,
tynnu llwch y gaea' o'r tŷ
a chrafu'r hen flwyddyn o'r porth.

Dim ond wedyn y ceisiwn *dui-lian*,
gan y meistr cyfrwys ei inc,
a chawn streipio'r ystlys-byst
â'i neges ffres ar bapur coch;
bendithion y flwyddyn a fu, ar y chwith,
yn odli â'r rhai a ddaw, ar y dde.
Ac uwchben y drws, y neges daer hon:
"i ffang ffwn shyn"
– aiff popeth yn iawn!
Mae'r flwyddyn newydd yn sychu ei thraed
ac yn croesi'r drothwy, dan gyfarth.

---

*Mae blynyddoedd Tjeina wedi'u henwi ar ôl 12 anifail
gwahanol. Roedd 2018-19 yn flwyddyn y ci.*

hutong : stryd gul neu ale; nodweddiadol o ddinasoedd
y gogledd fel Beijing.
dui-lian : y neges a roddir o gwmpas drws ar ddechrau'r
flwyddyn yn Nhjeina.

Mae'r tair cerdd nesa yn gyfieithiadau o
gerddi gan y bardd Jidi Majia

Y Lôn sy'n parhau #80

Dod yn fyw mewn gwin wna dihareb;
mae blas fflamau ar bob brawddeg.

Y Lôn sy'n parhau #83

Mae fy mamiaith yn llefain yn y nos;
bu'n rhaid i'w hadenydd
fynd drwy grai nodwydd y wawr.

Gwynt ein Cynefin

'Trwy ddeall iaith y gwynt', dywedai Mam,
'mai deall pam fod ffliwt y bobl Yi
mor gyfrin a mor bur – mai dyna pam!'
Rhaid meinio 'nghlust i'w glywed hebddi hi...
Ond gwelaf nawr, wrth wrando ar y gwynt
fod cip ar dragwyddoldeb yn ei hynt.

Mae Jidi Majia (1961 -) yn un o'r bobl Yi – un o leiafrifoedd
ethnig Tjeina. Mae naw miliwn ohonynt ac mae eu hiaith yn cael
ei hysgrifennu yn ei gwyddor ei hun.

Golygfa'r Gwanwyn

(Cyfieithiad o waith Du Fu, bardd o'r 8fed ganrif.
Ysgrifennwyd y gerdd hon pan oedd yn y ddalfa
gan wrthryfelwyr yn erbyn yr Ymerawdwr.)

Pan gwymp teyrnasoedd
erys bryn a nant;
glaswellt a choed y gwanwyn
a dyfa'n wyllt drwy'r ddinas.

Dyma'r foment y llenwir blodau
â dagrau gwlith
ac mae'r adar yn ias i 'nghalon,
yn gyndyn o ffoi.

Mae'r tanau rhybudd ynghyn
ar bob copa ers tri mis;
basa derbyn gair o gartre'n
werth deng mil o aur.

Mae 'ngwallt gwyn yn prinhau
wrth grafu 'mhen o hyd.
Toc ni fydd digon
i ddal pin gwallt yn sownd.

Mae bwthyn Du Fu yw un o atyniadau twristaidd Cheng Du.
Mae 1500 o'i gerddi wedi goroesi ac ysgrifennwyd nifer ohonynt
yn ystod y 5 mlynedd a dreuliodd yn Chengdu. Roedd pin gwallt
yn arwydd o statws gan swyddogion yr Ymerawdwr, fel Du Fu.

Digon

Dim ond golau trydan a geir am ddim
drwy ffenest siop ddillad yng nghanol Beijing,
ac mae'r hen bobl yn gwyfynnu tuag ato.

I gyfeiliant *guzheng* ar eu tâp *tai chi*
maen nhw'n herio'r oerfel â hen hen egni,
wedi'u lapio fel nionod, a'u breichiau'n tonni.

Ac ar y palmant goleuedig,
fel 'garan wen', maen nhw'n 'lledu'u hadenydd';
maen nhw'n 'rhannu mwng y ceffyl gwyllt'.

Mae eu 'paffio meddal' yn herio trem
y *mannequins* siacedog, sy'n syllu'n ddi-glem
allan i'r nos, heb ddeall

nad yn eu goleuni nhw
mae'r gwerthoedd mwyaf llachar;
a bod angen tywyllwch

i ganfod y sêr,
a'u symud cain, trwsiadus,
(er gwaetha'u dillad blêr).

---

guzheng : *offeryn Tjeiniaidd hefo rhwng 21 a 26 o dannau..*
tai chi : *ymarferion sy'n cyfuno symudiadau llyfn
hefo anadlu gofalus.*
Mae enwau hyfryd gan lawer o'r symudiadau hyn!

Llio

*(ar achlysur ei hurddo â chymrodoriaeth
er anrhydedd ym Mhrifysgol Bangor, 19.7.18)*

Mae'r nodau pêr fel cawod pinnau sydd
yn tincial ddisgyn drwy ei bysedd hi;
a'i halaw fel yr haul ar derfyn dydd
yn pefrio am ryw ennyd ar y lli.

'Wnaeth fyr-fyfyrio *Enlli* agor drws;
Gwenllian a'i meddiannodd, a'i rhyddhau;
Carn Ingli gyda'r un brawddegu tlws –
pob un â dyfnder hŷn – ond angerdd iau.

Ac rhyfedd mai yn hwyrddydd oes y daeth
athrylith hon fel gwawr i lwyfan byd;
a hithau'n llacio staes traddoddiad caeth,
tra'n rhannu'i dysg â'i chywion yr un pryd.

Mae gwlith y bore'n swyn ei thelyn hi –
a Llio bellach yw ein "Nansi" ni.

---

*Roedd Llio Rhydderch dros ei thrigain pan recordiodd
ei halbwm cyntaf hefo label Fflach yn 1998 – ac mae
wedi recordio sawl CD ers hynny, gan gynnwys Enlli (2003),
Gwenllian (2006) a Carn Ingli (2012)*

Dewi Llwyd

(Pawb a'i Farn 1998-2019)

Meddwl mellten ein brenin – a'i un llaw
      fu'n llywio'r anhydrin;
    ar ei draed yn awr y drin
    yn arwain dadlau'r werin.

Gwrthryfelwr

John Barnard Jenkins, 1933-2020

Dyn aeth yn gyndyn i'r gad – a drymio'r
      di-rym fesul ffrwydrad,
    gan roi'i gur ymhob curiad
    er bywhau calonnau'i wlad.

Bugail Newydd

(*i Dylan Rhys Parry, 4.10.14,*
gweinidog newydd Bro Creuddyn, Llandudno)

Bugail newydd a rodia
drwy draffig *Back Madoc Street*
a'r defaid corniog yn ei ddilyn.

Efe a'u harwain heibio'r gyrwyr blin
sy'n tapio'u bysedd ar y llyw.

A'r mamogiaid a ymunant, lawr yr eil ym *Marks*;
daw sbeunod fel rhuban drwy'r tils
a'r dorf yn syn,
wrth i hwn hel prom, yn lle hel mynydd.

*   *   *

Os aros mae'r mynyddau mawr
mae'r bugeiliaid newydd yn brin
a'r praidd wedi crwydro ymhell o'r llethrau,
wrth geisio hafod barhaus
ar ryw lan môr dragywydd
a'i hefengyl candi fflos.

Camp i neb eu casglu;
megis bugeilio gwylanod yw...

*   *   *

Ond mae hwn yn troedio
llwybrau hŷn na'r trai hir .

Gŵyr fod sicrwydd y graig
dan *parquet* 'r gwestai
a'u drysau troi;

Llusern yn ei law yw'r Gair,
wrth ddychwel eneidiau
o'r nos i'r gorlan.

Ac wrth dywys ei braidd,
hwn a geidw'r llwybrau ar agor...

Nadolig

Y slotian a'r tinseleitus yw'r ŵyl
        i'r rhelyw, ond erys
      imi eiliad cariadus:
        ceidwad byd yn cydio bys.

Dydd Sul

Ticio'n gynt
wna cloc fy myw
gan daro ar y sabath...

Ac os addolaf weithiau
yn nhemlau'r cicio gwynt,
cymuno â'r mynydd,
neu hel tai,
y Sul sy'n ceisio deffro ynof
hen ryddm triphlyg i'm dydd.

Ac mae'i bader yn cydio ynof,
fel syniad ar ei hanner

– ac onid felly'r Sul i bawb,
lle ceisiwn ddihangfa dros dro?
lle deisyfwn droi waliau
ein bodolaeth yn ddrysau?

Gwên

(er cof am Emlyn,
a fu farw bum niwrnod yn ddiweddarach)

Roedd cadair newydd wedi dod i'r tŷ
a'r nyrsus triw yn deall sut y caed
pob esmwythâd o'i mewn; a moto cry
i godi dyn o'i eistedd ar ei draed.
A Gwyneth oedd yn gapten ar y sedd
ac ambell waith cymerai hi sawl tro
i'w chael yn berffaith, cyn câi Emlyn hedd:
'Mae ganddi degan newydd,' meddai o.
Ar hyn, daeth cwmwl dros ei llygaid syn,
edrychai fel petai hi'n 'hel am law';
ond pwysodd yntau 'mlaen pan welodd hyn
a chydio'n dyner eto yn ei llaw.
Ac aeth tri chwarter oes o'i wyneb hen
a chariad ifanc yn goleuo'i wên...

Parsel

(i Elin)

Pan oedd amser yn doreithiog
a'r dyddiau'n troi yn rhwydd ar echel blwyddyn,
daeth angau yn barsel at dy dŷ.

'Welais i mo'r agor gennyt,
y bwrw bol ar garreg drws,
cario dy ymysgaroedd wedyn
yn gowlad boeth a gwlyb i'r tŷ.

Ac wythnos galar yn ddiweddarach,
'chlywais i mo glep haearn giât y fynwent,
nac ateb cras y brain.

Bûm yn ceisio mwstro'r ystrydebau
cyn mentro draw, er mwyn y byw...

...canys cariad-tu-chwith ydi galar;
'nid yw'n cenfigennu'
nac yn 'ceisio'i ddibenion ei hun',

ac mae sgyrsiau y ni sydd ar ôl,
yn barhad o'r rhai aeth o'n blaen,
wrth araf wingo ar echel blwyddyn...

Olrhain

Dan awyr amddifad,
mae Ionawr yn wylo pob llwybr yn nant,
a ffrydiau'r mynydd yn berwi'n eu brys
i ddianc o'r llethrau hyn...

Aethost di ar ddechrau'r gaea,
a minnau'n dal i ailfapio 'myd,
yn ceisio sboncio'n droedsych
drwy'r fignen sugno sodlau,
a'r oerwynt yn chwipio pob synnwyr o 'ngenau,
wrth olrhain ein llwybrau drachefn...

Gwn, pan awn, nad erys ohonom
ond cof, a straeon, a chariad,
a'r mwyaf o'r rhai hyn yw... (ie, wel...)

A gwn y daw'r haf yn ei ôl
i euro'r llymdra hwn,
ac awel bereiddiach i grawcwellt y waun,

ond lle unig yw galar weithiau, cyw;
ni ellir caru'r meirw nôl yn fyw...

Cerddi Syria

Yn 2019 trefnwyd arddangosfa Cyffwrdd Syria ym Mangor i ddathlu gwaith artistiaid y wlad, llawer ohonynt wedi gorfod ffoi o'u cynefin. Yno, cyfarfyddais ag un o'r trefnwyr Khaled Youssef a'r bardd Bashar Farahat; ac yn ddiweddarach â Syriaid sydd wedi setlo yng Nghymru.

Cyffwrdd Syria

(*i Khaled Youssef – llawfeddyg ac artist sy'n tynnu lluniau o fybls o gwmpas y byd*)

Dim ond llawfeddyg â dwylo sidan
a gonsuriai swigod hud â'i raff a'i ffyn,
gan hau gwên ar sawl cyfandir...

Ond er mor fregus byd swigen,
hyd yn oed wedi'r byrstio,
gall barhau i'n hudo...

fel y Syria sydd wedi'i serio ar y waliau hyn;
y dychmygion brau, sy'n ein herio
o ymylon darlun mwy...

Gorchmynion ola' fy mam

*(cyfieithiad o waith Bashar Farahat,
bardd a meddyg ifanc o Aleppo sydd heb weld ei fam ers ffoi o'i wlad)*

Mae Mam yn dirwyn pob gobaith heibio drws fy llofft.
Mae'n cynnal y cysgodion pŵl
sy'n cilio o'r hyn sy'n weddill ohonof:

y llun o'r hogyn dyflwydd yn crio;
y llun o'r hogyn ugain oed yn wên i gyd;
fy nghamau cynta'; fy ysgol ola';
fy ffrindiau gora'; fy marciau gwaetha';
rhyw hanner olion, ar gyfer cof a hanerwyd.

Mae Mam yn gwarchod atgofion ni'n dau'n ofalus,
y darnau a oroesodd y rhyfel diwethaf.
"Mae dy hanfod yma o hyd," meddai, "trech gwaed na shrapnel.
Tendia di rhag anghofio; tendia di rhag cartrefi amgen,
                                        a chysur alltudiaeth.
Cyfeiria dy fag olaf at dy gyfeiriad cyntaf."

Mae'n sgwennu ar wal f'absenoldeb,
yn chwalu'r geiriau gan grio, ac yna'n sgwennu eto:
"Dos di ble bynnag y mynni di fod. Paid marw.
Paid ymgolli mewn cân wnaiff dy dywys at dy dranc,
yn gain gan fuddugoliaeth.
Marw yw marw,
a cholled yn golled am byth."

"Anwybydda genhadon rhyfel, a'u llyfrau a'u swynion;
cwffia dros ddynes, paid cwffio dros frenin.
Meddylia am wlad wnaiff gofleidio dy ddyfodol.
Meddylia am wlad wnaiff dy dderbyn, a'th bechodau'n goron
am dy ben.
Meddylia am wlad all fagu breuddwydion o'i phridd.
Dos di ble bynnag y mynni di fod.
Paid marw. Paid marw. Paid marw."

(llun: Nizar Ali Badr)

Gwenu

(ar ôl sgwrs hefo grŵp o ffoaduriaid o Syria
sydd wedi setlo yn ardal Bangor)

"*Cultural choke* oedd dod i Gymru,"
meddai Rafiq yn herciog,
wrth godi ei goffi i'w geg.

Dyna ddudodd,
er mai 'sioc' oedd gynno fo 'debyg iawn.
Ond dyma feddwl wedyn:
tybed fedar rhywun dagu ar ddiwylliant?
Methu'i lyncu, na'i dreulio?

"Ac mae pawb yn gwenu 'ma," meddai Rafiq.
"Dio'm yn arfer gynnon ni acw
– ddim hyd yn oed ar gyfer lluniau Facebook!"

Sgyrsion ni am awr,
a dechreuis i ddallt
mai *cultural choke* yw:
cael gobeithio eto;
cael cynllunio er mwyn y plant,
a gwybod na ddaw dim byd gwaeth na glaw
o'r awyr.

Syllodd Rafiq i'r pellter.
"Byddwn ni'r alltudion," meddai,
"yn dysgu sgiliau newydd fa'ma, siŵr o fod –
a dôn nhw'n handi ryw ddydd,
wrth godi'n hen wlad yn ei hôl..."
Gwagiodd ei goffi, a gwenu.

Weldio

*(i Mohammed Karkoubi, ffoadur o Syria
a enillodd wobr am ei Gymraeg, Gorffennaf 2019)*

Bu hwn mewn llefydd poeth y diawl,
cyn ffoi,
ond bellach mae'n dewino tân
er creu.

Mae'r geiriau newydd
yn tasgu nawr fel gwreichion:
"Wedi beni"; "bant â'r cart"
ac nid gwneud trêlars
wna Mohammed ger Tregaron,
ond asio bywyd newydd
fel llen-fetel.

Ac yn y gwaith,
mae'r Gymraeg yn arcio'n llachar,
wrth i'r bois dynnu'u masgiau
a thorri bara.

Dawns 100

(i ddathlu canmlwyddiant Cymdeithas Cymry Llundain, 21.10.20)

Bu'r Cymry ers canrif, yn dawnsio drwy'r ddinas hon,
â'u *congas* tai teras; *swing* chwil y rhyfel;
a *hokey cokey*'r busnesau llaeth.

Aethant yn osgeiddig drwy Baker Street, a Villiers Street,
cyn troedio'u twmpath parhaus
yn Grays Inn Road.

Ac yn oes y *trilby* a'r hetiau *cloche*,
hel pres ar ddrws *Young Wales* oedd mamgu,
pan rwygodd docyn 'nhadcu, ac yna cyd-stepio oes.

(Clwb Cymry Llundain yn y 1940au)

Yn ystod gormes y *blitz* a'r mwgwd nwy,
llety milwyr fu yma,
ond roedd y ddawns o hyd yn eu rhyddhau.

Ddegawd wedyn, yn y bwlch rhwng *Brylcreem* a'r *bee-hive*,
byddai'r merched yn ymfyddino ar y dde,
a'u hewinedd yn goch y ddraig;

a'r dynion yn hel ar y chwith –
cyn symud yn don ar draws y llawr
a sgubo'r rhai fu'n gwenu ar eu sgidiau, i ganol y ddawns;

byddai'r *tulle* a'r *taffeta*'n troelli,
a 'nhad a mam yn eu plith,
nes i'r llawr agor ei geg eto, a'r clwb yn cysgu.

Daeth fy nhro innau wedyn,
rhwng *flares*, a theis *two-tone*,
a dysgais fod y ddawns yn fwy na hyfforddi traed;

roedd yma wahanol gyweiriau: – 'steddfodau;
 drama; corau; "'as 'e wedi talu *for the* bara?"
– i gyd yn gymysg ar ein gwefusau.

Ac felly ymlaen, i 'mhlant, a phlant fy mhlant –
cenhedlaeth newydd o chwerthin,
a rhannu cyfeillach casgenni amgen.

O'r *foxtrot* i'r *twist* a'r *twerk*, mae'r ddawns yn parhau,
yn galeidosgôp patrymau newydd,
a lliwiau'r hen wlad yn dirwyn drwyddi'n dragywydd.

Cariad at wrych

Cyw a fegir mewn *cul de sac*,
mewn normalrwydd perthog y mynn fod;
ailgyfamodaf â sybyrbia,
dail *privet* yn *gonfetti* dros fy 'sgidia.

Pan fo perth yn dechrau peuna
estynnaf y gwella' o silff y gaea,
iraf ei lafnau ag olew,
ac yna, diwyllio'r cwils;
eu **han**ffurfio, a'u **hun**ffurfio.

    *

Mae'r rhyddm yn para trwy'r haf
wrth sgwario'r blaendwf, a'r adladd,
yn ddefod fisol.

Ac mae rhywbeth gwrywaidd iawn
mewn llafnau sy'n agor yn 'x',

ac yn 'y' ben i lawr wrth gau;

sy'n rhes o swsus blysiog dros fol fy ngwrych...

    *

Cyw a fegir mewn *cul de sac*,
mewn normalrwydd perthog y mynn fod.
Ofer ceisio dianc rhagddo.
Rhaid ei gofleidio.
– a'i gneifio!

Drws nesa

*(Ar ôl byw yn Llundain ers 1956,
mae fy mam newydd symud nôl i Gymru)*

'Mond picio acw wnaeth hi,
cyn priodi a phlanta –
gwneud neges, fel petai
yn ninas Gwyn ap Nudd.

Doedd hi byth yn bell o'i chartre chwaith;
gallai glywed rhyddmau'r piano
drwy bared hiraeth weithiau,

ac wrth sipian coffi Soho
wedi oedfa'r hwyr, yn Charing Cross
gwyddai iddi gyrraedd,
ond heb adael yn llwyr.

Cafodd dri chwarter einioes o groeso acw,
cyn meddwl troi am nôl
i dŷ lle roedd y dodrefn wedi'i symud
a lleisiau newydd yn y parlwr....

Dychwelodd, heb gymar yn gefn...
ac wrth geisio ymlacio yn heulwen yr hwyr,
dyma gyrraedd unwaith eto,
heb adael yn llwyr.

Cerddi E.G.H. (1935-2018)

Bedydd

Dwi'n sgeintio'r arch wrth lyncu 'nagrau i,
a'm sgwyddau'n hyrddio'n fud i'r anthem hon.
Sawl tro cydganon ni Salm Dau-ddeg-tri,
cyn chwalu'r golled dros fy mhen yn don?
Ai'ch 'claddu yn y ffydd' â boddfa iawn
o wylo llafar 'weddai'n well i chi?
Ai 'dyfroedd tawel' ddaw o'r 'ffiol lawn'?
Oes 'Haleliwia yn fy enaid i'?
Fe ddisychedwyd eich gwefusau crin
â llyfiad sbwng yn nyddiau ola'r daith:
– ai arllwys cân sy'n iawn mewn dyddiau blin,
heb obaith inni fyth liniaru'r graith?
Lle cafwyd bedydd gynt, a'ch braich yn gam,
mae'ch meibion heddiw'n ôl 'ma'n breichio'u mam.

Tad a thad-cu (1935- 2018)

y mae eisoes sawl mesen – yn esgyn
o gysgod hen dderwen;
mae parhad pan gwymp y pren.

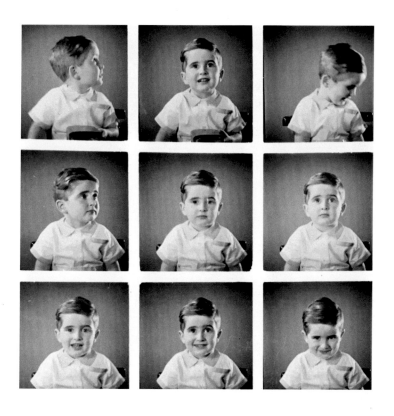

Bu 'Nhad yn byw yn Llundain ar hyd ei oes, heblaw am flwyddyn a dreuliodd yn anterth y Blitz ym Mhontrhydfendigaid, lle roedd teulu Tad-cu yn byw; a bu'n ymwelydd cyson a'r pentre am flynyddoedd wedyn.

Ond er yr atyniad teuluol at y Bont, roedd ganddo ddiddordeb mawr yn hanes camlesi hefyd, a dymunai i'w lwch gael ei wasgaru yn agos i'w gartref yn Llundain.

Llwch

(er cof am fy nhad)

mynd am y 'nachlog

Mae rhyw radio draw
yn ymyrryd â'r hwyr,
lle byddai ci Bron Ceiro gynt
yn cyfarth am filltir
ar ôl i ni fynd heibio.

Byddech chithau'n adrodd mantra
caeau eich tad-cu:
'*Ca' Bach; Ca' Bigws; Ca' Pen Crach;*'

a hynny â balchder trefol...
ond â phwy rhanna'i hyn yn awr?

'o'm dolur ymdawelaf'

Onid yma dylech fod?

– Lle mae haul yr hwyr ger Ystrad Fflur
yn peintio eurgylch
ar gnu hesbin syn...?

– Lle clywir coed pell
ar noson dawel,
a ffatri gnoi'r gwartheg agos?

– Lle mae anadl ambell heffar,
am y wal â'r fynwent,
yn atalnodi'r gwyll?

Onid yma y dylech chi fod?

ysgol y Bont

Yma buoch yn ymarfer
llythrennau bore oes:
'mis bach yw',
'oen yn y cae',
a'ch enw *'Glyn'*.

Mae'n hydref arnom heddiw,
a gwewyr esgor coeden yr iard
yn bwrw perlau castan dan draed,
i'w codi gan reiat o blant newydd.

Mae'r goeden
yn gweithio ar gloc gwahanol,
yn llyncu llythrennau,
yn ifanc o hyd.

Pen Banne

Dringais y llethrau serth
yn gyflym, am y gwyddwn
na fedrech chi ddim mwy...
Deisyfwn arwyddocâd.

Daeth goleuni,
fel crys melyn wedi dianc o'r lein,
gan gyhwfan yn araf – araf,
ar hyd ystlys y bryn...

Ac yna disgynais yn ôl
at erwau'r signal ffôn.

ward Aldenham

Beth oedd byw ar y diwedd?
Dim ond dychymyg yn hedfan
tra gallai, o'r gwely.

Ceisiasom rannu anialwch
y breuddwydion llachar
oedd yn sychu eich llwnc.

ac yn nheml eich anadl chi,
a'ch corff yn hoelio'r gwir i'r gwely,
sancteiddiwyd ein diffyg cwsg.

siafio arwr

'Ti'n gafael yndo'i fel Mick McManus'

Roedd y croen tyn
wedi mynd yn llenni llac,
a minnau'n troi a chodi eich pen,
rhag i'r rasal wneud dolur...

'Mae dyn yn teimlo'n well
rôl cael wet shave'

Wnai sebon mo'r tro – mond ewyn siafio.

'Wyddwn i ddim
fod ti'n gymaint o Gardi!'

Ac wrth fwytho croen crêpe eich gwddw,
cofiwn eich gwylio
o ddrws y bathrwm, yn hogyn bach,
a'ch llaw hyderus yn trafod y dur,
yn arwr Sofietaidd,
y llafn yn dawnsio'n ysgafn dros eich boch,
yn ail-bladuro'r sofl dyddiol.

'Ti'm di beni 'to?!'

Roedd llwyddo codi pen
yn arwrol erbyn hyn,
ond roedd her
yn eich llygaid o hyd...

ti'n swnio'r un ffunud â...

Mae eich llais yn fy stondio,
pan ddaw o'm genau i;
tri thrawiad y carthiad llwnc;
y clymiad goslef a phwyslais.

Ofer ceisio gwersi galaru –
ac fe'ch gwelaf yn codi ael
dros eich sbectol yn fy nrych,
yn rhybudd rhag ffwlbri o'r fath.

canfod alaw

Euthum i'r dafarn ddwyn-eneidiau,
i lyncu'n ddiwydiannol;
i wrando miwsig piwus pwerus;
i stripio emosiwn fel paent...

ac wrth gerdded adre'n gam,
clywais gar yn cornio newid lôn
ac yn cael corn chwyrn yn ateb –
a'u dicter yn cytgordio'n goeth.

A dwi'n dal i golli
ein sgyrsiau
amser cau...

'mi dafla 'maich oddi ar fy ngwar'

Eich llaw yw fy neheulaw
ar gefn sêt gapel wrth ganu;
mae'r chwith yn fy mhoced
yn chwilio'r llinell bas
lle byddai'ch llaw aswy
yn cael llinell tenor,
yn canfod patrymau o fewn y dôn...

'*Ymhlith a fu neu ynteu ddaw*'
sy'n llenwi'r llygaid
ac yn swmbwl i'r llais...
Mae'r emyn yn parhau
a minnau'n cecian i stop.

Stocker's Lock

Pan aethom i nofio'r tro cyntaf
drwy'r ogof deils,
chi a'm daliodd
ar ôl i'r dŵr clorîn fy llyncu,
a'm breichiau'n troi'n ofer
wrth geisio golau'r to.

Yna'r tagu-pesychu drwy 'nhrwyn,
yn berwi o embaras...

Fe'ch daliaf heddiw ger y gamlas
a'ch bwrw'n dyner, fesul dyrnaid
i nofio'n ddi-ymdrech ar y dŵr.

Dyna'ch dymuniad
a bydd ein cariad yn eich boddi,
wrth ichi lifo heibio'r badau
lle mae eraill yn byw.

Bishop's Wood

Daethom droeon
i lwybrau caeadfrig y llecyn hwn;
parcio'r car, a seiadu dan y dail
– canu emynau weithiau.

Cawsom fesur eich wythnosau olaf,
wrth gerdded cylchoedd drwy'r coed,
hefo ffon, hefo pulpud, yna cadair...

fel dad-fwrw carreg o'r dŵr
yn ôl i'r llaw,
a'r cylchoedd yn lleihau...

Heddiw, mae'r coed yn wag;
dim ond 'deryn du
fel mwg drwy'r brwgaets,

a rhybudd melyn coeden olaf
heb ymnoethi at ddyfnder y gaeaf;
heb fwrw'i swildod, fel y lleill.

Mae cymaint heb ei ddweud...
ond canaf fy emyn
o gariad ofer,
gan ddyblu'i ddiwedd,
a'i ddyblu drachefn...

Ailddychmygu

(*i Ganolfan Ymchwil Canser Cymru*)

Wnaiff cerddi ddim atal canser:
sdim modd cloi hwnnw mewn mydr ac odl,
na'i gadwyno mewn cynghanedd...

Mae canser yn fwy na dychymyg bardd,
yn prysur goloneiddio'ch corff,
yn plannu'i fflagiau hy
i hawlio'r tirlun – a'i lurgunio,
drwy godi bryniau dolur
lle bu caeau gwastad gynt.

Mae'r sglyfaeth yn drysu'r mapiau i gyd,
yn boddi trefi,
yn codi coedwigoedd
fel grawn unnos, ar ganol traffyrdd,
yn gwyrdroi'r drefn.

Na, wnaiff cerddi ddim atal canser;
ond pan ddown â'n syrcas wyddoniaeth i'r dre,
gyda'n bytwrs tân a'n hymchwilwyr trapîs,
gan godi'n pabell drwy'ch corff chi i gyd,
gallwn ailfapio'r cyfan,
symud mynyddoedd,
draenio moroedd poen.

Ond **mae** dychymyg yn rhan o'n grym:
ni yw prifeirdd gobaith,
yn labio canser
â phenillion iachâd,
yn jyglo triniaeth ac ymchwil cyfoes,
yn adfer trefn – yn estyn einioes.

Tŷ Geraint

*(Canolfan Gofal Lliniarol, Aberystwyth
yn dathlu'r deg, Gorffennaf 2016)*

Amhosib ydyw mesur
lles a llwyddiant yr antur;
mae'n gamp dweud 'amen' i gur.

Sain Ffagan ni

(i ddathlu'r Amgueddfa Werin ar ei newydd wedd, 18.10.18)

Dyma "atgyfodiad pethau"...
Dan olau'r oriel, cawn hawlio'r llwyfan,
a'r casys gwydr fel *props* ar ein cyfer:
"Chi'n cofio'r rhain, Mam-gu?"
Ac mae teulu cyfan yn agor profiad newydd
fel torth ffres.

Dyma atgyfodiad pethau:
- y pethau bychain hefo'r straeon mawr,
fel wats Senghennydd,
neu benglog Penywyrlod...

Ac yna, yn y gweithdy,
dan ddeunaw twmffat mŵg a llwch,
cawn ymdeimlo ag alcemi'r creu;
naddu carreg, turnio coed,
neu sbybio clai – nid sbio'n unig.

Bydd sgyrsiau'n cynnau ar bob llaw;
Ganesh yn janglo hefo llestr Aberogwr;
ffliwt asgwrn yn cloncan â hen garafân.
Daw ystyron newydd i stori ein gwlad...

...canys dyma hanfod
atgyfodiad pethau,
lle mae hanes a chwedl yn herio'i gilydd;
lle mae'r cyfoes â'r hen yn cordio'n gofiadwy.
Ac yng ngolau ffenest y gorffennol,
aildroediwn ein drama ni;
er mwyn gweld ein hunain o'r newydd.

Engan Dyb

(*i Geraint Jarman yn 70 oed, 17.8.20*)

*'Pan elo gof yn ei efail
ni ddichon ei gaethiwo wedi hynny'*

A dyma Jarman, wrth yr engan dyb,
fel ysbryd, *heb* forthwyl yn ei law,
yn cydio ynom â gefel ei gân.

Mae'n gweithio dolen rithiol arall
mewn cadwyn gydol oes,
ac mae chwain y gof
yn hedfan o'i alaw o hyd.

A dyma fo wrth yr engan dyb,
'rôl tanwenta yn ein hanes
a thwrio drwy gypyrddau'r iaith,

mae'n anwylo'r gwerin-eiriau,
a'u nerthu o'r newydd yn ei dân,
cyn deifio ein dychymyg
â'i ddelweddau seicadelig;
yn troi mwtrin moron yn *Bombay mix*...

*   *   *

Mae'n trawsacennu'r cyfan wrth yr engan dyb,
mor gymen ei guriadau
â hoelion llyncu pennau.

Ac os oes stamp alltud arno,
nid yw yn cadw ffin:
when you reach limit,
you become limit

ac mae'n hel syniadau gweddw o bedwar ban,
gan drin meddyliau trwm yn ysgafn,
nes peri iddynt symud
... a ninnau'n dawnsio hefyd.

A dyma Jarman wrth yr engan dyb,
yn megino to iau'r ddinas,
yn cyfreithloni'u bro

ac mae pob gig fel efail symudol,
a'i gwres yn denu, fel yn yr amser gynt,
yn ynys gynhwysol...

'Pan elo gof yn ei efail
ni ddichon ei gaethiwo wedi hynny'

 – curiadau cain ei weledigaeth
sy'n drac sain cenhedlaeth gyfan,
a'i riddim sydd yn ein rhyddhau...

I gyfarch Emyr Humphreys yn 100 oed
(15.4.19)

Dangosodd ffordd i'n henwlad weld ei hun,
a'n herio fod y newydd er ein budd;
a'i sgwennu yntau'n gymaint rhan o'r llun
wnaeth helpu troi ein gwyll Cymreig yn ddydd.
Ac wrth nofela ym mha bynnag iaith,
wrth sgriptio cerdd, neu wrth fydryddu'r sgrîn,
yr un cwestiynu miniog gawn o'i waith,
yr un fu'r angerdd mewn sefyllfa flin.
Nid 'byw yn llipa rhwng dwy iaith' wnaeth hwn
ond pontio'n llachar; croesi'r ffin o hyd
o fewn ein gwlad, wrth greu ei fydoedd crwn,
yn her i'r ddeulais ganu ar y cyd.
Mae'i waith yn fodd i ni 'ddi- ffinio' n gwlad-
'ysgyrion o oleuni,' a rhyddhad.

Gerallt

1944-2014
'exegi monumentum aere perennius'

'Y bardd bach uwch beirdd y byd':
hedodd ei angau i Barcelona hefyd,
a minnau'n syfrdan yn y Sagrada Familia,
yn gwylio breichiau'n codi, yn ceisio dal goleuni,
ymbil eu camerâu yn ofer ridyllu
tragwyddoldeb i'w lluniau dirifedi,
wrth addoli gwaith dyn a gynganeddai feini.

Ac yn offeren ansicr y breichiau,
synhwyrwn chwithdod fy mhobl innau
yn ymbalfalu am eiriau,
yn ceisio snapio teyrngedau.
O am gael naddu ystyr fel pensaer ein neuaddau,
pencerdd dyfnderoedd ein dyheadau
a grynhoai fydoedd mewn cwpled cymen,
a'i awdlau'n codi'n glochdyrau amgen.
Ond fe'i dathlwn, tra cerddwn ei gynteddau,
mae pob carreg yn sill yng ngweddi'r oesau.

Exegi monumentum aere perennius: 'lluniais gofeb a bery'n hwy nac efydd'

– dyfyniad o waith y bardd Lladin Horas (65-8 CC)

Cofiwch Epynt

30.6.20
(*Ym Mehefin 1940, trowyd 219 o Gymry allan o
54 o ffermydd ar Fynydd Epynt*)

Dim ond tanbelennau
sy'n troi'r tir yn Llwynteg-ucha,
yn Waunlwyd, yn Abercriban a Chwm Car...

Erwau'r magnel yw'r Epynt yn awr;
a baner goch 'sa draw' sy'n cyhwfan,
lle bu cynfas mewn cae i alw cymydog gynt,
o Gelli Gaeth, Ffrwd Wen neu Ddôl Fawr.

Ni fydd neb yn twymo'r Babell
cyn y plygain mwy;
ni fydd lampau stabal
yn sgwennu'u ffordd drwy gaeau'r nos
o Flaenysgirfawr, Cefncyrnog na Thir Bach.

Canys curwyd y sychau'n gleddyfau;
gwnaed gwayffyn o'r pladuriau
er mwyn 'marfer rhyfel yma,
yn Ffos yr Hwyed a Gwybedog,
yng Ngharllwyn a Llwyn Onn...

Capel y Babell

Ond er bod hen fygythiad
yn atseinio 'Mrycheiniog o hyd,
a dim golwg o'r cadoediad
ym Mlaenegnant Isa,
Cefn Ioli, na Disgwylfa,

cadwn yr enwau, fel lampau ynghyn,
ailaredig atgofion a wnawn, o bell,
a chanwn ym mhabell ein tystiolaeth
am Bant mawr a Rhyd y maen...
Brynmelyn a Brynmeheryn...
Beili Richard a Blaentalar...
Llawrdole a Llwyn Coll...

Cartre

'Sut mae'r hen le?' gofynna 'Nhad
o'i gornel yn ddi-ffrwt.
Be fedra'i ddweud? 'Mae'n dawel' ?
'Mae pob man lot rhy dwt' ?
'Sdim ci teiars yn sgrialu
yn gadwyn gyfarth o'i gwt'?

Sut dduda'i fod y ddraenen wen
bellach 'di'i di-wreiddio?
A iard ei hen gynefin gynt
wedi'i sybyrbaneiddio?
Llwyni estron yno'n llen
a heli'r môr yn eu deifio...

Daw'r un hen gwestiwn fory –
bu ganddo 'rioed ryw ddawn
i bigo fy nghydwybod, ac
yn rhy hwyr, gwn yn iawn
mai'i ymgeleddu fa'ma
drodd Dŷ Ucha'n 'Sunny Down'...

C'mon Cymru

(cyn gemau Cynghrair y Cenhedloedd, Medi 2020)

Gwyliais fy ngwlad o bell
sawl tro cyn hyn:
– yn alltud gwaith,
mewn pybs anghyfiaith,
ac anghymunedol;
neu'n soffa-warchod 'mhlantos nôl-a-mlaen,
a'u synnu gyda 'ngweiddi ofer ar y sgrîn,
a'r rhychu carped ar fy nwy benglin
wrth ewyllysio gôl!

Tro hwn, yr un faciwm
sy'n ein gwahodd, un ac oll...
O bell, clustfeiniwn ar y sgwrs ar gae
sy'n tystio fod ein gobaith yn parhau,
ac un ar ddeg yn gwadu nad ŷm ni'n
rhy fach, rhy dlawd, rhy dwp, i hawlio'n lle.

A dygwn hynny nôl o'r stadiwm wag
i bob cynefin, cario'r sgwrs ymlaen:
cans onid llesol i bob enaid coch cytûn,
gael bod yn rhan o Gymru
sydd yn fwy na fo ei hun?

Y Cynulliad yn 20 oed

Mai 2019

Nid cerdd mo Cymru, ond sgwrs barhaus
drwy gerrig a gwydr y tŷ hwn;
mae'r derw a'r llechi'n canfod eu llais.

Nid bwydlen mo Cymru bellach,
ond cegin hud lle cawn gnoi
ar gyfreithiau ffres,
yfed ein cyfarwyddyd ein hunain,
a phobi gobeithion at ddant y to nesa.

*

Deuthum yma'n dad ifanc, ddau ddegawd yn ôl,
i ganu'r lle hwn i fodolaeth, i ddathlu dechrau'r sgwrs;
a gwelais wedyn fy mhlant ar eu prifiant,
cenhedlaeth gynta'r genedl drowsus hir.

Ac felly, dygwyd ein gwlad
o oes sol-ffa, i oes y selffi,
a daliwn ein hanes ryngom a'r haul,
wrth dynnu hunlun o'r teulu heddiw.

*

Ond rhaid rhannu'r delweddau'n well;
mae rhyddm y sgwrs yn newid
ac nid digon deisyfu 'bod', megis cynt,
cawn flas ar y 'gwneud' yn ogystal.

Ac yn y tŷ hwn, a thu hwnt,
rhaid clywed ein cân o hyd,
i 'nabod ei gwerth;
'nerth gwlad yw ei phobl',
ond ein hyder yw ein nerth.

Tân Glyndŵr

16.9.20

Doedd heno, erbyn meddwl, ddim yn ddrwg;
cynuta wnes-i, 'hyd y lôn a'r ffos,
cyn gwylio'r priciau tamp yn magu mwg
a chwalai fel telynau mud i'r nos.

O'r diwedd, chwythais nhw'n gymanfa dân –
rhyddhawyd heulwen hen, o fol y pren –
ac wrth gynhesu 'nghorff, a'r fflamau'n gân,
cymunais â'r gorffennol yn fy mhen.

O gwmpas tân fel hwn, mewn oes o'r blaen,
datganai'r fflamau awdl-newid-byd;
synhwyrodd ein cyndadau'u ffordd ymlaen,
...a gwelaf mai yr un yw'r daith o hyd...
Mae fory 'Yes', sy'n dal i'n haros ni,
yn chwythu tân Glyndŵr i 'nghalon i.

Croeso i'r CELYN

*(Ar 11.12.20, lansiwyd sustem ariannol newydd i Gymru, y
CELYN, wedi'i fodelu ar sustemau tebyg yn Sardinia a'r Swisdir)*

Mae'r beirdd 'di dallt hi erioed:
yn mynnu talu cymwynas hefo cerdd,
prynu hefo penillion;
hyd yn oed gwerthu gwawd ar gân.

Mae'r awen yn arian amgen
– ond nid yr unig un.

Bu'r 'gwŷr a aeth Gatraeth' gynt
yn talu'u medd hefo cleddyf;
ein ffermwyr yn ffeirio'u llafur,
adeg c'naea, hel mynydd, neu'r cneifio.

Dan ddaear, clymwyd dynion
gan gyfalaf emosiynol amgen;
a phwy aiff i dŷ galar heddiw
heb fod ei fraich yn gam?

Hen bryd felly groesawu'r CELYN;
fel y coed cynhenid, mae'u gwreiddiau ynom ni
ers cyn i'r bunt *rododendro* ein tir.

A daw'r CELYN cyn bo hir,
mor anhepgor â baner ein gwlad:

hefo gwyn y blodau, fel buddsoddiadau,
a choch yr aeron, pan wnân nhw ddwyn ffrwyth,
a gwyrdd y dail, sy'n gwarchod yr asedau...

(a bydd y CELYN yn ffynnu o dymor i dymor,
nid bwrw ei dail, ar ôl i'r fusutors fynd)

Cofleidiwn felly y nod cymunedol
ac ymuno yn y twf, gan gofio hyn:
nid yw'r CELYN yn llwyni o bethau –
mi dyfan nhw'n goed, os can nhw eu cyfle!

Cerddi Lithwania

Bob blwyddyn yn yr hydref mae gŵyl farddoniaeth Druskininkai yn gwahodd beirdd o wledydd Ewrop a thu hwnt, i gyfarfod mewn tref faddon hynafol ynghanol coedwig.

Gŵyl farddoniaeth

Cawn encil yn Druskininkai – hafan,
    lle nofiwn mewn cerddi;
    tre faddon, llawn haelioni,
    man braf lle mae'r beirdd mewn bri.

Ffynnon Druskininkai

*(un o atyniadau'r dre yw'r ffynnon enfawr
sy'n gysylltiedig â jiwcbocs)*

Yma, mae'r dŵr yn canu.
Daw *druska*'r gerdd ar dafod,
nid o'r dyfroedd bywiol megis cynt,

ond o'r ffynnon hyfryd hon
sy'n pistyllio lliwiau i'r nos;
eu saethu'n ganffrwd
i guriad unrhyw gerddor.

Ac heno rhof fy llaw drwy'r ceinciau byw,
caf flasu dafnau'r alaw ar bob bys;
yma, mae'r dŵr yn canu.

---

druska: 'halen'

*Dyna'r elfen gynta yn yr enw lle Druskininkai ac mae'n cyfeirio
at y cyfoeth o fineralau sydd yn un o ffynhonnau'r dre.*

Hydref

Mae'r goedwig yn breuddwydio mewn lliw
yn hepian yn haul y pnawn;
yma daeth hynafiaid y Lithwaniaid gynt
i geisio'u duwiau dan y dail.

Down ninnau yma heddiw'n baganfa beirdd
gan ddilyn defodau hen a newydd yr ŵyl;
codi baner; cusanu'r ddaear;
tywallt gwirod ac arllwys cerdd.

A bydd oriau cyfeddach yr hwyr
mor llachar â'r masarn a'r bedw,
pan ddawnsiwn yn wyllt hyd yr oriau mân
ar loriau'r neuaddau pren,
cyn 'talu ein medd' drannoeth, gyda chân.

---

eu duwiau: *Lithwania oedd y wlad olaf yn Ewrop i ymwrthod â'u duwiau paganaidd a chofleidio Cristnogaeth yn y 14eg ganrif.*

Cymuno

(wedi cadoediad 1918)

Pan ddaw'r dynion yn ôl at Soar a Salem,
nid yr un dynion mohonynt.

Er llonyddu'n gefnsyth ar y seti sglein,
mae'r sŵn yn eu pennau o hyd;

oglau'r polish yn edliw'r drewdod
fu yn eu ffroenau gyhyd;
drychiolaethau wedi'u serio ar eu llygaid;

a'r 'ddwy law sy'n erfyn' heddiw
yw'r ddwy law fu'n llwytho cyfaill ddoe,
ar flaen rhaw, i waelod sach.

Mae sawl lle gwag yma heno
ac mae'r dynion yn rhannu seti
hefo'r rhai na fu draw – heb fedru 'rhannu' chwaith...
Maen nhw fel bara a gwin...

*

A'r merched a ddaw i Soar a Salem?
Nid yr un merched mohonyn nhwthau mwy,
wedi mynd o iau'r cartref
at her y lle gwaith;

wedi byw'r ansicrwydd creulon o hir,
cyn i lythyr estron dynnu tafod drwy'r drws
a disgyn yn gelain i'r mat.

Mae sawl aelwyd wag yn eu canlyn nhw 'ma heno;
sawl rhuban o ohebiaeth wedi'i chlymu'n dwt mewn drôr;
sawl sgwrs ffug-siriol wedi darfod ar ei hanner...

Ond daw pobun a'i greithiau gwahanol o'r drin
i geisio rhyw ystyr, drwy'r bara a'r gwin...

Wedi'r dilyw

Mae'r hanes wedi cilio,
ond mae daear Ypres
yn feichiog o hyd;

bydd swch yr arad'
yn dal i rwygo
hen siels, bob gwanwyn, o'r gwys.

Dyma'r cynhaeaf haearn;
a milwyr newydd fydd
yn casglu'r degwm rhydlyd hwn o ymyl cae...

bydd cnwd achlysurol o fotymau hefyd,
clipiau bwledi,
neu ambell benglog fu gynt
â geiriau'n berwi'n weddi o'i mewn.

Broc trais, neu hadau rhyfel?
Mae'u mudandod yn rhybudd swta
rhag i hanes chwalu drosom eto
a'n boddi yn ein miloedd
yn y tir hwn.

Cyfandir o Gofio

*(Comisiynwyd i nodi canmlwyddiant cadoediad 1918
a'i gyflwyno ar ffurf fideo yn y Senedd, Chwefror 2019)*

Nid yn Gymraeg y mae'r gwewyr i gyd
nac yn y Saesneg chwaith.

Mae colled yn medru sawl iaith;
mae dagrau'n rhugl eu Halmaeneg;
clwyfau'n llafar mewn Ffrangeg a Fflemeg;

rhaid agor y meddwl i glywed
y lleisiau i gyd, o ganrif yn ôl...

(Gerrit Engelke, 1890-1918)

> *Lagst du bei Ypern, dem zertrümmerten?*
> *Auch ich lag dort.*
> *Bei Mihiel, dem verkümmerten?*
> *Ich war an diesem Ort.*

> Fuest di yn Ieper, y ddinas a ddinistriwyd?
> Fues i yn fanna
> St Mihiel, ar ôl ei chwalu?
> Mae'n rhan o'm hanes innau.

Gerrit Engelke

Mit dir im Schnee vor Dünaburg,
frierend, immer trüber,
An der leichenfressenden Somme
lag ich dir gegenüber.

Dan gwmwl parhaol yn Dünaburg,
a'r eira yn ein rhewi,
ac ar y Somme oedd yn llyncu cyrff,
rôn i gyferbyn â thi.

* * *

Dysgasom gasau ein gilydd;
lluchio bomiau fel peli criced,
trywanu sachau gwellt...
(hyd yn oed y beirdd *belles lettres*
fyddai gynt yn pori llyfrau
wrth hel neithder syniadau–
les butineurs d'Idées...)

(Albert-Paul Granier, 1888-1917)
Tout! Il faut tout laisser derriere nous...
Haïr! Haïr! Mot dur à l'âme !
Haïr, il nous faut haïr !
Haïr jusqu'à l'enthousiasme !

Pob dim! Rhaid gadael pob dim ar ôl...
Casáu! casáu! Gair sy'n brifo i'r byw!
Casáu, rhaid i ni 'gyd gasáu!
Casáu nes perlewygu bron!

...ond casineb amhersonol sy'n magu,
wrth faglu drwy'r nos;
drwy sawl ffos sy'n llyncu fferau,
tua'r llinell flaen, ein cynefin lleidiog newydd
fel cyfrinach wael...
...fiw i neb godi pen i'w weld liw dydd;
cawn awyr las achlysurol yno,
streipen ein nefoedd
rhwng ochrau'r ffos
tan y gawod ddur nesa...
Ein braint yw bod yn llinell
ar fap eu magnelwyr nhw...

(August van Cauwelaert, 1885-1945)

De hemel scheurt en schettert,
De lucht is dof van damp;
Daar ligt vier man verpletterd,
Met ijz'gen kreet van kramp.

Mae'r nefoedd yn rhwygo a rhuo,
ac yn sgil y mwg mae'n tywyllu;
mae pedwar yn gelain draw fanno
mor iasoer eu gwaedd wrth eu sathru

Ons hoofd is hol en duizelt,
En doof van daver 't oor;
Onze aarden muur vergruizelt.
Het staal rameit er door.

Mae ein pennau'n wag a chwil
a phob clust wedi'i byddaru;
y dur yn hyrddio fesul mil
a'n cloddiau pridd yn chwalu.

Ik hoor gewonden klagen
En de avond draalt zoo lang....
Wie zal de dooden dragen
Uit 't vuur van ons gevang?

Clywaf grïo'r clwyfedigion
yn ymlusgo i'r oriau mân...
ond pwy all gario'r meirwon
o'n carchar – a hwnnw ar dân?

Mor bell y gall maes y gad ymestyn:
yn fidog drwy'r post
i galon mam;
gwynfyd aelwyd
yn chwalu fel bocs botymau,
ac anobaith yn cancro ffydd
un oedd yn Gristion i'r carn...

...ond yn Fflandrys a Ffrainc
mae'u haelwydydd
hefyd yn sarn...

(Albert-Paul Granier, 1888-1917)

Par les villages pitoyables, par les hameaux incendiés,
les chiens, les pauvres chiens perdus,
taciturnes, errant parmi les trous d'obus,
cherchent le seuil de leur maison,
cherchent dans les plâtras épars et les toitures effondrées,
et flairent avec incertitude en enjambant les poutres calcinées.

Trwy'r pentrefi truenus,
a'r tai a losgwyd yn ulw,
mae'r cŵn yn crwydro'n dawel,
rhwng tyllau'r siels;
maen nhw ar goll, druan ohonynt
yn chwilio cerrig drws eu tai,
yn chwilio drwy'r rwbel gwasgaredig
a'r toeau sydd wedi dymchwel,

yn snwffian yn ansicr,
wrth gamu dros ddistiau a hanner-losgwyd.

Ni allwn rannu'r chwalu
a fu ar eich bro;
dim ond y plethwaith poen.
Waeth beth yw lliw y faner fry,
liw coch sydd ar ein gwaedu...

(Gerrit Engelke, 1890-1918)
Reiß auf deinen Rock! Entblöße die Wölbung der Brust!
Ich sehe den Streifschuß von fünfzehn, die schorfige Krust,
Ich öffne mein Hemd:
hier ist noch die vielfarbige Narbe am Arm!
Der Brandstempel der Schlacht!

Rhwyga dy siaced ar agor! Chwydda dy frest i amlygu
glwy'r bwled o 1915 a'i grachen yn dal i grawnu.
Agoraf fy nghrys innau a dyma'r graith!
          – gwarthnod amryliw o'r frwydr ar fy mraich!

'Llygad am lygad. Dant am ddant.'
Mynnwn destament gwahanol i'n plant...

Onid ffôl yw dial ein dioddef,
drwy beri dioddef mwy?...

Onid yw'r boen a'r llaid yn ddigon i'n huno?
Gwell gwin na gwaed wrth geisio cymuno?

(August van Cauwelaert, 1885-1945)
Mijn jongens, ver genoeg gedragen

Mijn wrak uit nachtelijken strijd;
Nu zullen andere armen schragen
Mijn wankelende krachtloosheid.

Laat neer den last, wij moeten scheiden.
Een hand, een groet en dan: vaarwel.
Ik ga Gods tragen dag verbeiden,
Gij keert ter daverende hel.

Hogia, chi a'm cariodd ers sawl awr
drwy'r nos, a'r gad yn ei anterth;
rhaid i drueiniaid eraill yn awr
ysgwyddo fy nghorff diymadferth.

Rhowch eich llwyth lawr; rhaid canu'n iach;
ysgwyd llaw (mae'n torri i'r byw!)
Ewch chithau yn ôl i'ch uffern a'i strach,
a finnau i ymbil ar Dduw.

Sawl pabi a lifeiria
dros lawntydd ein cofebau?
Mae cofio'n cyfri o hyd –
a chyfri'n bwysig wrth gofio –
ond os cofio, cofio'r cyfan...

yn ôl ein rhifyddeg chwil,
ni bu farw mwy na naw can mil,
dim ond nhw sy'n cyfri, yn haeddu eu cofio

a gwadwn i'r gelyn ei alar,
yn lle cipio'r cyfle
i afael yn dynn yn ei law...

(Gerrit Engelke, 1890-1918)

Zerschlug deinen Bruder
der gräßliche Krach der Granate?
Fiel nicht dein Onkel, dein Vetter, dein Pate?

Oni chwalwyd dy frawd gan fom llaw a'i sŵn erchyll?
Oni chollwyd dy ewyrth, dy gefnder a'th dad bedydd?

'Sneb yn ennill mewn rhyfel ond y cynrhon.

(Albert-Paul Granier, 1888-1917)

La mort est contente et très soûle,
car là-bas, le sang rouge coule,
en ruisseaux lourds, dans les ravins.

Mae'r angau yn feddw fodlon,
am fod gwaed coch is law, yn llifo'n
nentydd trymion ymhob hafn.

Dwy ochr yn trafod, yn lle troi tu min,
biau hi ar ddiwedd pob rhyfel blin;
...felly pam na allwn drafod, cyn y drin?

(Gerrit Engelke, 1890-1918)

Stahlhelme ab, Mützen, Käppis!
und fort die Gewehre!
Genug der blutbadenden Feindschaft und Mordehre!

Tynnwch eich capiau, a'ch helmedau! A thaflwch eich gynnau!
Dyna ddigon o'r elyniaeth waedlyd, ac o ogoneddu'r lladdfa!

O, daß sich Bruder wirklich Bruder wieder nenne!

Daß Ost und West den gleichen Wert erkenne:

O na fydden ni'n galw 'n gilydd eto'n frodyr go iawn!
Y dwyrain a'r gorllewin yn rhannu'r un gwerthoedd yn llawn:

Daß wieder Freude in die Völker blitzt:
Und Mensch an Mensch zur Güte sich erhitzt!

Gorfoledd yn goleuo'n pobloedd unwaith eto:
a dyn a'i gyd-ddyn, ar ddaioni'n ymddotio!

Wedi rhannu'r oriau lleidiog, a'r llau,
rhannu llygod mawr ac angau,
rhannu tir neb, rhannu nwy,
... a rhannu mwgyn am eiliad neu ddwy...

rhannwn gof am y cyfan;
canys nerth cof, **cyfandir** o gofio.

Cerddi'r Almaen

Yn 2019-20 ymwelais nifer o weithiau â Berlin, ar gyfer Gŵyl Ffilmiau Barddoniaeth Zebra, a chynhadledd The Future is Now, *ymhlith digwyddiadau eraill.*

Berlins Geistermauer
Salm i weddillion y wal, 9.11.19

Mewn cerdd, daw geiriau benben â'u ffin eitha;
y deall, a'r camddeall;
– ac yma cawsant eu tollti'n rhaniad concrid,

yn frawddeg o wal i gipio'ch gwynt
wrth ail-ganu tai'r byw a beddi'r meirw
yn llain wag; ac eto'n gwâdd
dehongliadau gwahanol... *Schutzwall?*
Oder Schandmauer? Corlan i'r cyfiawn?
Ynteu c'wilydd mewn concrid? Mae wastad dwy ochr i wal...

Ac yma bu dwy wlad gynt; ac un iaith yn ei rhannu,
vom Muttiheft *zum Feierabendheim,*
o fore oes, nes rhoi'r tŵls ar y bar.
Ac wedi'r cyfannu, bu rhai geiriau
yn gwrthod colli'u blas: *Trinkfix; Eierkuchen;*
Knusperflocken; Rondo Kaffee;
y geiriau styfnig sy'n gwrthod derbyn eu tymp yw'r rhain,
bod hi dal yn *Viertel elf,* *nid Viertel nach zehn.*

'Rhaid dysgu felly, rhannu ein hanesion;
hören wir einander zu *und nehmen wir uns*
gegenseitig ernst.'
Achos pan fo un gerdd yn peidio, mae'r llinellau yn parhau,
a'u geiriau'n dal i fynd benben â'r ffin eitha,
y deall, a'r camddeall.

Ac yn ein gwledydd, cwyd waliau newydd;
'a ni ein hunain a'u cododd nhw
und nur wir selbst *können sie einreißen'*

           – a ni yn unig all eu dymchwel nhw.
Ys d'wedodd bardd o Gymro, mawr ei glod:
'nid ydym yn credu mewn waliau ...ond maen nhw'n bod.'

Berlins Geistermauer 'Wal ysbryd Berlin'

Schutzwall
          Antifaschistischer Schutzwall
          'y wal amddiffyn wrth-ffasgaidd'
          – y term a ffafrwyd gan lywodraeth y dwyrain.

Oder Schandmauer 'neu wal o gywilydd': disgrifiad Willi Brandt,
                    Maer Gorllewin Berlin 1957-66

vom Muttiheft...
          'O fore oes hyd diwedd oes' – ond ymadroddion yn
          perthyn yn benodol i'r DDR oedd *Muttiheft* (sef y llyfryn
          a oedd yn cael ei ddefnyddio i anfon neges adre o'r ysgol
          gynradd at rieni plentyn) a *Feierabendheim*, 'cartref hen
          bobl'.

Trinkfix...
          Bwydydd o'r dwyrain oedd y rhain; *Trinkfix*: math o ddiod
          siocled; *Eierkuchen*: crempogau; *Knusperflocke*: melysion
          siocled wedi'i gymysgu efo cracer ; *Rondo*: brand o goffi.

Viertel elf...
          '10.15' yw ystyr y ddau, ond yn y dwyrain dywedant ei bod
          hi'n 'chwarter cynta'r unfed awr ar ddeg' (*Viertel elf*),
          yn hytrach na 'chwarter wedi deg' (*Viertel nach zehn*)

Hören wir...
          'Gwrandawn ar ein gilydd, a chymryd ein gilydd o ddifri'
          – dyfyniad o araith yr arlywydd Frank-Walter Steinmeier
          i nodi 30 mlwyddiant cwymp y wal, 9.11.19.

und nur wir selbst... 'a dim ond ni ein ein hunain all eu rhwygo lawr'
                 – o'r un araith.

Cyd-ddiarhebu *auf Deutsch*

*(Trefnwyd cynhadledd 'The Future is Now' ar y cyd
rhwng Llywodraeth Cymru ac IASS yn Potsdam –
yr Institute for Advanced Sustainability Studies)*

'Wasch mir den Pelz,
aber mach mich nicht naß';
'Golcha fy ffwr,
ond paid ti â'm gwlychu';

– Ond dyna'r hen drefn dreuliedig,
yr hen gredo gwyrdroedig,
'mynnaf y fendith heb orfod aberthu'.

Bellach mae paderau newydd
sydd angen eu cydleisio,
a dwy wlad anghymarus
yn dechrau ymddiwygio,
yn dechrau cyd-freuddwydio...

*Gemeinsam können wir
Berge versetzen,
nicht nur schön Wetter machen,*
drwy fyw yn ôl ein hangen,
nid yn ôl ein gwanc,
byw o fewn y cyfrif banc.

Ni allwn ragor
in Saus und Braus leben;
disgwrs amgen sydd ei angen,
a'r cyd-ddiarhebu
yw dechrau'r cyfathrebu...

Also – wsti be?
>*Wasch mir den Pelz* –
>*und du **kannst** mich naß machen!*
Wedi'r cyfan, onid ydym yn hongian
>*am seidenen Faden?*
(heb ddisgyn, 'mond o drwch blewyn)
felly naw wfft i ragor fyth o *heiße Luft*.

Daw cyd-ddeall o gyd-ddiarhebu;
a dechrau gweithredu;
ac yn harddwch y rhannu
bydd ein dwy wlad megis yn canu cerdd dant;
alaw a chyfalaw er lles ein plant
>*Aber wird alles für die Katz' sein?*
Wel... 'cân di bennill fwyn i'th...'
– *Nein!*

---

auf Deutsch	mewn Almaeneg
Gemeinsam können wir Berge versetzen,	hefo'n gilydd gallwn symud mynyddoedd
nicht nur schön Wetter machen	nid jest canmol y tywydd
	(h.y. siarad, heb wneud dim)
in Saus und Braus leben;	byw yn fras, yn foethus, yn afrad
Also –	Felly –
Wasch mir den Pelz –	Golcha fy ffwr
und du kannst mich nass machen!	ac mi gei di fy ngwlychu!
am seidenen Faden	(yn hongian) gerfydd edefyn sidan
heiße Luft	awyr boeth, siarad gwag
Aber wird alles für die Katz' sein?	Ond a fydd popeth er mwyn y gath?
	(h.y. a fydd y cyfan yn ofer?)
Nein!	Na!

Hiraeth am eos

(Er cof am Dilys Elwyn Edwards)

Byrlymai'i nodau'n anwel yn y coed,
cyn torri'r canu yn ei flas bob tro,
a thrwsio'i phlu – ni wyddai neb ei hoed –
bu'n cyfansoddi'n reddfol ers cyn co'.

Mae hiraeth am ei dawn greu alaw dlws
a ddaliai'r geiriau'n dwt, fel ŵy mewn nyth
– er cystal oedd ei chân am agor drws
at galon cerdd, ni ddeuai iddi'n syth...

Fel cordda traed yr alarch dan y dŵr
i gynnal ei osgeiddrwydd ar y llyn,
fe weithiai hithau'n ddygyn iawn, bid siŵr,
nes cloi'r llifeiriant nodau'n batrwm tyn.
Mae hiraeth yn y nodau hyn o hyd;
drwy'i chân, mae hithau'n dal i harddu'n byd.

Gosododd Geraint Lewis y soned i gerddoriaeth ac fe'i ganwyd am y tro cyntaf gan Elin Manahan Thomas fel rhan o noson i ddathlu gwaith Dilys Elwyn Edwards yng Nghanolfan Pontio, Bangor, 27.4.19.

Hadodd syniadau

(i Elen ap Robert,
ar ddiwedd ei chyfnod yn Pontio, 31.7.19)

Daeth hon â'r coleg i lawr o ben y bryn
a dal ei ddrws ar agor led y pen,
i blant Hirael a Maesgeirchen
gael croesi'r drothwy.

Ac mi hadodd syniadau dan y meini hyn:
asio cerdd a ffiseg,
moleciwlau a marimba;
ac arwain cân i'r corneli cudd.

Agorodd ffenest Gymraeg ar y byd,
a gloywi'r gwydr â syrcas; neu â Joyce;
gan herio'r syber
a stiwardio'r anystywallt.

Newidiodd sawl byd,
wrth genhadu'n barhaus, yn agos ac ymhell.
Hadodd syniadau, do...
a'u medi o flwyddyn i flwyddyn.

Deled eraill i fugeilio'r adlodd yn awr,
ac i blannu gobeithion yn gnydau doeth;
er lles y cymunedau, a welodd fryn noeth
a chodi eu coleg arno...

Begw

P'le heno'r clustiau godai gynt,
cyn sgrialu croeso
dros loriau pren?

P'le heno'r tynnu ar dennyn,
wrth sawru cyffro
diwrnod newydd?

P'le heno'r bawen o gyfarch,
a'r pen fu'n pwyso
yn erbyn llaw?

P'le heno'r llygaid
â'u dyfnderoedd o ddeall,
fedrai ddarllen hwyliau
ein traed ar y trothwy?

Gerald a'r Ysgwrn

Daeth yma'n blentyn bach i fyw at Nain,
i dŷ yr ewyrth coll a gafodd glod
ar ffurf cadeiriau mud – ond tystiai'r rhain
i ddawn 'flodeuodd cyn i'r bladur ddod.

A Nain a'i ddysgodd am y pethau hyn,
a phwnio iddo grefft enhuddo'r tân
i gadw ei hatgofion oll ynghyn,
yr hanes llachar oedd ynghlwm â'r gân.

A dyna wnaeth, gan ddweud hi fel y mae,
â geiriau'i nain yn canu yn ei go;
gadawa'i dractor weithiau 'ganol cae,
rhag ofn i neb gael siom fod drws ar glo.
Croesawodd filoedd yn ei ffordd ei hun
a chadw'r lliw rhag pylu'n llwyr o'r llun.

Ffolineb

Tynna'i sgert yn is, wrth gerdded mewn â'i ffrindiau;
eu rhewi'n drindod wên, â hudlath ei ffôn o'u blaen.
(Heb lun, heb ddigwydd.) Rhaid rhannu'r eiliadau...

cyn bod cerddediad sodlau,
a sugno diod drwy welltyn,
yn creu ...atyniadau.

A chydia'r gynta' yng nghrys ei chymar newydd,
a'i dywys fel gwobr, at lawr y ddawns.
Dacw'r ail, a'i dwylo'n gwneud tonnau...
'Hei, Macarena!'
Toc, mae un yn codi llaw, a'r llall a ddiflanna...

Ac mae'r un sydd ar ôl, mewn cornel dywyll,
(â'i band- gwallt- clustiau- cath
yn taeru bod hi'n cael amser da)
yn prysur bwnio negeseuon i'w ffôn,
a'i hwyneb yn welw yng ngolau'r sgrîn.

Mae'n twtio'i llywethau. Fflachio gwên eto...
Hunlun arall i wadu'r hunlle;
ebychiad arall mewn monolog o luniau...

Grisiau

Y dringo yw'r peth,
yr araf sengi, cyn petrus esgyn
o ris i ris, yn ditw briwsion,
cyn sboncio eto,
yn groen gwyddau o densiwn...
Dan flaenfys, drydanflew...

Y dringo oedd y peth,
wrth ddysgu bysedd dall i weld,
mapio cyfathrach hŷn na iaith...
cyn i syrffed ben grisiau
droi angerdd yn hengerdd,
yn amdo dyhead...

A'r dringo fydd y peth...
Nid cerdd mo hon, ond breichiau ffarwél
yn llipa dyner am dy wddw,
cyn ymwregysu, i lusgo esgyn
i ben y clogwyn olaf
mewn golau brain...

Caffi

Pen bom oedd gen i 'stalwm –
tasgu'n ifanc i sgyrsiau ar bob llaw...

'Byta'n ysgafn heddiw?'
yw gwefus-gwestiwn Bet,
a gwenaf yn boleit.
Pwyll trwm-ei-glyw
piau hi bellach...

Caf groeso brysiog, 'fath ag arfer heddiw;
slempan hel briwsion o'r bwrdd ger fy mron...

A gwelaf y til yn cau yn y cefndir
a chofio am ddrôr cyllyll nain;
gwelaf gadair yn crafu'r llawr
a chofio'i sŵn carthu gwddw;
a gwlitho-gweld llond coets o weiddi mud...

Aiff dwy awr heibio,
a'r siwgwr yn gwasgar
o gryndod fy llwy,
yn gytser ar fwrdd y prynhawn...

Yna codaf,
a bron imi glywed
fy mhunt yng nghesail y soser,
fel sŵn atalnod llawn...

Rhestr

Ar ôl ymddeol,
   roedd ganddo bethau i'w gwneud;
ond rywsut, ar ôl yr ymryddhau
o fân ormes y gwaith,

ac wrth i'r dyddiadur wagio dan ei draed,
disgynnodd drwy Amser!
Nofiodd y cerrig pafin oddi wrth ei gilydd
a throi'n gerrig camu mewn cors...

   Ond... roedd dal ganddo... betha... tmo...
ac âi am dro petrus i'r parc
i geisio deall y jig-sô dail ar lawr
   tmo...tria'i gweld hi... y patrwm 'lly...
   y petha, ie, ie! ...Ganddo... isio'u gwneud...

a'r geiriau'n dechrau cwffio'i gilydd,
y brawddegau'n nofio ar wahân...
   y petha sti ...y ...ganddo... Oedd!
a'i ddyddiau'n troi yn rhestr fantach
rhwng noson hir, a noson arall, hirach...

Pryd

"dwi'n barod rŵan"
Gwariodd hon
ei harddwch yn gynnil, ar hyd ei hoes;
mae'n sythu ei gwddw'n osgeiddig
yn erbyn y llwy yn fy llaw...

Roedd y jygiau ar ei dresel gynt
yn tollti'r croeso tua'r drws;
a hi a'm dysgodd i sythu 'nghefn
yn erbyn seti pren ei ffydd,
cyn mynd â fi wedyn, yn ei llaw,
i weld y Ganaan tu draw i'r dre.
    "dach chi'n cofio ni'n gweld y llwybr yn sglein?
    ...rhyw falwod wedi'i wlitho..."

Siaradaf rŵan
â fi fy hun, a hithau'n dechrau chwitho;
    "dwi'n barod i fynd", meddai eto.
    "Lle ewch chi 'lly?" atebaf, gan geisio gwenu'n deg;

a gwelaf y siom yn ei llygaid,
cyn iddi araf-boeri'r llwy o'i cheg...

Ust

(i Faye Tan)

Ust...

Sut mae geiriau'n symud,
yn tynnu trwy'r ddawns
rhwng tafod a chlust?

Ust...

Sut mae brawddegau'n anniddigo,
yn tapio'u traed,
yn ymollwng eu cymalau
nes i'r corff cyfan ganu,
nes twrio i'r ystyron dyfna'?

Ust....

A sut mae dwyiaith cerdd a dawns
yn plethu a chordeddu awr,
cyn ildio i'r llonyddwch mawr
a'r mudandod mwy?

Ust...
Ust...
Ust...

---

*Rhan o brosiect gan Gwmni Dawns Cenedlaethol Cymru
hefo Llenyddiaeth Cymru. Y nod oedd cael beirdd a dawnswyr
i weithio hefo'i gilydd i greu gwaith newydd. Bûm yn gweithio
gyda'r ddawnswraig Faye Tan a dehonglodd hi'r gerdd hon
drwy ddawns wedyn a'i rhannu drwy fideo.*

Lleisio

(wrth lansio Blwyddyn Ryngwladol yr Ieithoedd Cynhenid 2019, yma yng Nghymru)

Nomina si pereunt, perit et cognitio rerum,
"os derfydd enwau,
derfydd hefyd dirnad pethau".

Dwedwch felly, fawrion o wybodaeth,
ym mha fodd mae achub iaith?

Nid trwy'i chofnodi, na'i chysegru,
na chloi'i geiriau'n gacamwci gludiog
a lyno wrth y sawl
sy'n stelcian hyd ein cloddiau;

cans cadno wedi'i stwffio
yw pob Cymraeg llyfr;
ei 'untroed oediog' ni syfla mwy,
a'i lygaid gwydr sydd ddall.

Yn y llafar y mae ei lleufer;
a thafodau plant yw ei pharhâd.

Nomina si pereunt... dyfyniad gan y gwyddonydd
Carl Linnaeus (1707-78)

Gwyliau Azeri

(Yn 2015 fel rhan o'r prosiect 'Gelynion' cefais gyfle i weithio hefo Ghazal Mosadeq, bardd o gefndir Azeri yn Iran. Penderfynon ni roi nifer o eiriau i'n gilydd a gofyn i'r llall ddychmygu beth oedden nhw'n feddwl. 'Tangnefedd', 'cadair' a 'drwglicio' oedd rhai o'r geiriau a gyflwynais iddi hi – a dyma'r geiriau a gefais innau .)

etiraz [íːtyraz] *enw gwrywaidd;* **cuddliw; gŵyl y cuddliw**

Dyma ŵyl yr efeillio rhyngom,
yr ansoddeiriau sbectol dywyll
a'r ymadroddion locsyn ffug.
Dathlwn yr ymdoddi
sy'n porthi deall a dryswch yr un pryd.

aşiq [ash:íg] *enw benywaidd*; **goleuni**
aşiq olmaq [ash:íg ol:mac] **goleuni'r afon; gŵyl y cariadon lle gollyngir lampau i'r dyfroedd.**

Ni ellir gwisgo'r bwrlwm hwn
ag ystyr estron;
newydd yw'r dŵr, ond mae'r afon yn hen.
Dyma drac sain carwriaeth
fy nhad-cu a'm mam-gu;
wrth ollwng eu lampau papur i'r llif
ymddiriedasant i'w dyfodol,
cyn diffodd o'u fflam yn y dŵr.
Heno, mae crafiad matsien ger clust Tad-cu
a thagiad y fflam,
yn llwybr dros dro drwy niwl ei gof.

uzun [wz:wn] *berfenw*; **neidio**
uzun küçələrdə [wz:wn kwtjelér:de] **neidio babanod; gŵyl ddyfodol y genedl**

Mae o'n nabod y strydoedd hyn
drwy wadnau ei draed;
ond heddiw fe eheda drostynt...
Offrymwn ein dyfodol
ar resi o glustogau o'i flaen.
Bydd y tadau'n atal-gofleidio'r mamau,
wrth i hwn gyflymu atynt
a llamu dros ein plant,
gan hongian am hanner eiliad hir
uwch eu pennau,
cyn glanio i'r pafin yn ôl.
Rhaid gwylio. Does neb wedi cael ei sathru
ers 1953...

əncir [entʃ:ír] *enw benywaidd;* **gwynt nerthol;
gŵyl y geiriau benthyg**

Nid oedd gennym air am guriad ystol yn erbyn wal
cyn i gadach roi slempan i'r ffenest.
Na gair am deimlad papur lapio,
a gafodd ei ofalus-dynnu
er mwyn ei ailgylchu,
na fydd, byth bythoedd,
fel newydd o lyfn drachefn.
Yr ŵyl hon felly yw ein Pentecost,
y bysedd ganol nos
sy'n crafangu-bwmpio teimlad
i fraich ddiffrwyth yn ôl.
Gorfoleddwn heddiw
fod y lladron da
yn dwyn trysorau dros ein ffin,
canys dwyn yw pob benthyg –
nes cofio'i ddychwelyd...

Ffydd

(Canolfan Ysgrifennu Tŷ Newydd yn 30)

"edges are where meanings happen" – Christopher Meredith

Down yma er mwyn encilio o'r byd;
down i ororau'r tir a'r tonnau,
at yr hen dŷ ar odre hanes,
at gyrion y gwyrddni sy'n anwes amdano.

Down yma'n gymdeithas meudwyon
i chwilio'r enaid,
i ail-gyfryngu'n synhwyrau,
i ymollwng i ryddm y creu...

Ac yn y ffreutur, bydd syniadau
yn ffrwtian o gwmpas bwrdd;
straeon fel bara'n codi
i ddiwallu'r hirbryd;
a cherddi ewynnog
i dorri ein syched.

Myfyriwn wedyn mewn tŷ gwydr geiriau,
didoli llinellau, a'u hail-blannu,
cyn chwynnu rhwng ein brawddegau
(nid yw wastad yn hawdd)

A chyd-ganwn yn y llyfrgell, â'r rhai urddedig;
sancteiddiwn ein horiau â gweddïau inc;
cyn meudwyo, i geisio ymylon ein hunain,
i geisio dal y dwyfol mewn gair.

Canys i'r cwfaint seicadelig hwn,
y down i feithrin ein ffydd;
i gael ein dyrchafu, cyn mentro i'r gell
lle meiddiwn ddychmygu
– ac hwyrach methu –
ac yna methu'n well.

Tŷ Newydd – Efa Lois

bàrd, file, bardd

Ceardlann a dhirionn ar mháthairtheanga
ó pheirspictiochtaí Gaeilge,
Gaidhlig agus Cymraeg

AR LÍNE 🎥 zoom
07/07/20
@ 18:00pm

**Chun clárú, gabh i
dteagmháil le Brónagh ar
bronagh@culturlann.ie**

Ifor ap Glyn

File Naisiunta na
Breataine Bige / Bardd
Cenedlaethol Cymru
Láithroir teilifise /
Cyflwynydd Teledu

Ciara Ní É

Scríbhneoir Cónaithe
DCU 2020 Ambasadóir,
Aras Scríbhneoirí na
hEireann

Pàdraig
Mac Aoidh

Lecturer in Literature,
University of St Andrews /
Óraidiche ann an
Litreachas, Oilthigh Cill
Rimhinn

Bàrd – File – Bardd

Cywaith hefo **Pàdraig MacAoidh** *o'r Alban a* **Ciara ní É** *o Iwerddon, ac ystyr 'bàrd' a 'file' yw 'bardd' yn yr Aeleg a'r Wyddeleg. Ein gobaith oedd teithio gyda'n gilydd – ond oherwydd Covid bu'n rhad bodloni ar greu cyfres o ffilmiau byrion. Dyma rai o'r cerddi a gyfrannwyd gennym i'r prosiect, yn rhannu ein profiadau fel siaradwyr ieithoedd Celtaidd.*

Trioedd

'Tri anifail untroediog sydd;'
meddai Cyfraith Hywel,
'march a hebog a milgi.
Y neb a dorro droed un ohonynt,
taled ei werth yn hollol.'

Ers talwm,
cerddem ein tri drwy'r awyr a'r tir
heb herc.

Ac uniaith oeddym,
amser maith yn ôl,
pan oedd Brú na Boinne'n ei bri,
Beinn Nibheis yn gnwc,
ac Eog Llyn Llyw yn leisiad o hyd.

Ond yna daeth ein Babel Celtaidd;
tair chwaer yn mynd yn dair c'nither;
cyf'deres, ceifnes, gorchawes, gorcheifnes –
prin bod ni'n perthyn mwy...

A daeth llais ymherodrol
i sibrwd ymhob clust
'y rhain i gyd a roddaf i chi...
teyrnasoedd y byd a'u gogoniant'
Ac fe'n hudodd, a'n huno'n fain;
a'n hysgaru o'n hetifeddiaeth....

'Tri pheth o'r ceffir o'r ffordd,
nid rhaid i neb ateb ohonynt –
pedol a nodwydd a cheiniog.'

A dyna'r gwobrwyon i ni ein tri,
yn dlawd a balch ac yn byw mewn gobaith,
nes meiddiwn freuddwydio am fory gwell.

Wedi'r cyfan, onid un ydym
dan groen y wyddor?
Oni ddaw *feamainn* a *gwymon* o'r un môr,
a phan rannwn *fíon* a *gwin*
a llefarwn *fíor* a *gwir,*

nid ymylon pellennig mohonom
ond y tri thew anesgor –
yr iau, yr aren a'r galon;

a gallwn wedyn gyd-iachau
am fod rhyw drindod ryngom o hyd.
A haws y saif stôl ar deircoes nac un...

Wythnos ar ôl Reachlainn

(Cyfiethiad o 'Seachdainn an dèidh Reachrainn'
gan Pàdraig MacAoidh)

Ar y ffordd yn ôl o Reachlainn
'mond cwch bach oedd gennym,
cwch modur hefo caban
a seti awyr agored yn 'cefn.

"Byddwch chi'n wlyb doman allan fan'na,"
meddai dyn y cwch, yn llygad ei le –
torrodd tonnau dros drwyn y bad,
nes ein socian yn hallt yn syth

gan ein llyncu a'n llonni,
ond er diosg y môr hefo'n dillad gwlyb
arhosodd heli Sruth na Maoile
yn ein crwyn fel hen awydd,

ac mae'r don... mae'r don
yn ffrydio drwom o hyd.

Anifail arall yn llwyr

(Cyfieithiad o 'Ainmhí Eile Ar Fad' gan Ciara ní É)

Llwynog dinas wyf innau,
llygad yn brin, cynffonracs, blêr.

A rhyfedd gan bobl y ddinas
fy ngweld i o gwbl,
gan synnu 'mod i yma o hyd,
trwy'u caniatâd, neu er eu gwaethaf.

Llwynog dinas wyf innau,
yn estron yn fy libart fy hun.

Urddasol fy nghysgod wyf,
o bell, yn y gwyll...
ond yn agos, nid oes ynof ond adlais gwan
o hanes fy hynafiaid llyfndew.

Crafaf weddillion kebab o'r papurach a'm pawennau;
ciliaf rhag peryg rhuthr car.

Weithiau a minnau ar wib ar ôl llygoden fawr,
blasaf reddf fel gwaed ar dafod;

Ac yna dwi'n ei erlid dan olau'r lloer,
mewn cae gwair, heb goncrid oer na goleuadau lamp,
millltir sgwâr na welais mo'ni 'rioed.

Onid braf fasa bod yn llwynog gwlad go iawn?
Yn raenus,
cynffondrwchus,
ffyniannus?

Graen

Os bendith yw clywed weithiau
oglau pren derw'n y dweud,
gorneli brawddegau'n asio'n dwt
a'r geiriau diledryw
yn llyfn dan fy llaw,

braint wahanol yw clywed
iaith *self-assembly*
a'i threigliadau *flat-pack*
(hyder *not included*)
– mae'r ddau yn gwneud *y job*.

Ond i'r rhelyw ohonom
sydd rywle rhwng y ddau,
weithiau'n brin o *eiria mowr posh*,
neu jest *mynadd* i barhau,

rhaid cadw'r tŵls yn loyw 'run fath:
– ac onid honna yw ein her fwya ni?
Nid chwythu'r *llediaith ddi-angen*
i ffwrdd fel cwmwl blawd lli...

Troad y rhod

Alban Arthan mewn car;
haul isel yn dallu'r ffenest flaen,
yn gwynias-lyncu'r lôn...

Chwifiaf law wan
o flaen llygad byddar,
troi'r padl cysgod i lawr o'r to,

ac mae tamaid papur
yn chwyrlïo-ddisgyn
fel gwyfyn marw...

Fe'i ddaliaf a'i ddarllen ag un llygad tra'n gyrru,
a chofiaf saib ochr lôn,
mewn haf swreal,

a *"defaid gwynion, fel wyau glöyn*
ar wyrddni cabatsien o gae,
ar fin ei bori'n dyllau byw"

Ond sdim modd heno
orffen geirio'r gweld,
a gyrraf i'r gorllewin
a'r flwyddyn fel rhuban o lôn
yn cael ei weindio i'r gwyll,

a'r drych yn dwll du
yng nghoron y machlud...

Cerddi Cerrig y Bannau

Comisiynwyd y pedair cerdd a ganlyn, fel rhan o gywaith hefo Owen Sheers, gan Barc Cenedlaethol Bannau Brycheiniog, i'w cerfio ar feini wrth ochr y brif lôn drwy'r Bannau.

Ynysfelin

(Cronfa Ddŵr Llwynon)

O dan y dyfroedd tawel hyn,
fel breuddwyd goll,
aeth tai o'u bôn i'w brig;
ac nid oes heddiw ddim ar ôl,
ond Pont y Glec o dan y llyn
a dyfrgwn dani'n chwarae mig.

Gwaddol

(Cronfa Ddŵr Cantref)

Glan Crew; Crew Isaf;
Aber Crew; Blaen Taf –
fel gweddi ofer ger dwy nant,
yn erbyn ymbil dinas
am ddŵr glân gloyw i'w phlant.

Hyn a ddymunaf i ti

(Blaen Taf)

Dychmyga'r heol hon
dan Gadair Arthur, a'i grŵn
am unwaith, yn fud;

a lleisiau'r gwynt a'r nant
a chân y hedydd,
yn hawlio'r fro â'u hud.

Hyn a ddymunaf heddiw i ti.
Ac os nad yn fan hyn,
rhywle arall; rhyw bryd...

Bwlch

(Craig y Fro)

Llwm yw'r bryniau ymhob hin,
a llym yw awelon
y cwm cyhyrog hwn.
Arhosa ennyd. Blasa'r gwynt,

wrth gymuno â'r cymylau...
sŵn rhaeadr... a'r gân hon,
cyn codi dy drem tua'r gorwel
ac ailgymryd dy hynt...

Copa'r Wyddfa

Ymrithiant o'r niwl, a'u hysfa am yr ucha'
yn eu gyrru'n drwmdroed luosog
ar lwybr caeth tua'r copa.

A pha hawl sy gen innau
warafun i'r rhain eu hunlun sydyn?
– wrth gipio'r top am ennyd
ac yna dychwelyd,
mor ansylweddol bellach
â'n cyndadau fu'n creithio'r mynydd gynt...

Fu neb o deulu Nain, â'u sgidiau hoelion mawr
ar gopa Rhita Gawr erioed,
'mond twrio'n ddygn i'w ystlys
yn Chwarel Glyn

– ond mae'r Wyddfa'n wytnach na phawb...

Ac yn hualau fy hamdden innau,
nid stadiwm i'n campau yw'r mynydd i mi
ond cadeirlan i'r ysbryd
a'n camau'n cytseinio'n ysgafn
â'r camau a fu.

Ac yn yr unigeddau hyn
y mae'r cynfyd main
sy'n dyrchafu'r enaid
ac yn dwyn yr ysbryd mawr yn nes...

Cerddi Fideo

Gellir gweld fideos o rai o gerddi'r gyfrol hon, drwy ddilyn y dolenni isod:

Cymru 20/20 (t. 13)

https://twitter.com/iforapglyn/status/1234054557182955523

Gwyn fy myd? (t. 19)

https://www.facebook.com/eisteddfod/videos/iforapglyn/304870574258129/

Egni cymwynas (t. 23)

https://twitter.com/YPierhead/status/1342039814821044224

Nadolig (t. 39)

https://twitter.com/iforapglyn/status/812300553304834049

Dawns 100 (t. 52)

https://www.youtube.com/watch?v=PAxpazivZRc

Ail-ddychmygu (t. 66)

https://www.youtube.com/watch?v=3MtI2nUJuGQ&feature=youtu.be

Sain Ffagan ni (t. 68)

https://www.facebook.com/LlenCymruLitWales/videos/245614962780173/

Engan Dyb (t. 69)

https://vimeo.com/462793742

Y Cynulliad yn 20 oed (t. 77)

https://twitter.com/SeneddWales/status/1127478617892634624

Croeso i'r CELYN (t. 80)

https://www.youtube.com/watch?v=MiGUOanAg2k

Cyfandir o Gofio (t. 90)

https://www.youtube.com/watch?v=USC8lFmFGAM

Ust! (t. 117)

https://twitter.com/ndcwales/status/1292075879703740417

Lleisio (t. 118)

https://vimeo.com/313989345/956a22998c

Bàrd – File – Bardd (t. 125-129)

https://www.youtube.com/watch?v=cWj7hCZlDBk

Cerrig y Bannau (t. 132-133)

https://www.youtube.com/watch?v=zHgjWCF4cIQ